KB094684

파묘

제74회 베를린국제영화제 공식 초청작

EXHUMA

파묘

장재현 각본

유선사

감독의 말

필연적이었다 : 이야기의 허리를 끊고 두 개로 만든 이유

첩장 이야기를 들었다. 처음 관을 꺼내어 화장을 마치고 일을 마무리하려는 순간, 우연히 그 밑에서 다시 발견된 또 다른 관의 이야기를.
그래서 이 영화도 이야기를 첩장시켜야만 했다. 처음의 일이 다 끝났을 무렵, 우연히 다시 시작되는 두 번째 일. 마치 여우가 범의 허리를 끊은 것처럼… 이 이야기도 그렇게 두 개로 끊어야만 했다.
하지만 그것은 친일파와 일본의 군국주의를 파헤쳐가는 시간의 연속성이 있기에 가능할 수 있었다.
수차례 파묘를 하며 땅속으로 들어가다 보면 점점 과거로 빨려 들어가는 기분이 든다. 그렇게 깊게 깊게 들어가면 결국 문제의 시작인 오래된 관을 만나게 된다. 그리고 관 속을 확인하고 불로 태워 문제를 제거한다. 이게 파묘다.

자, 그럼 우리가 지금 살고 있는 여기 한국 땅을 파 내려가며 과거로 시간 여행을 떠나보자. 온통 침략과 전쟁으로 상처가 가득하다. 상처는 눈에 보인다. 마치 아직까지 친일파가 세상에 영향을 미치고 있는 것처럼.

그리고 더 깊게 땅을 파보자. 우리는 아주 오래전 북으로 향하는 일본의 군국주의에 유린당했다. 그 피와 트라우마가 아직도 이 땅에 그리고 우리의 정신에 남아 있다. 그래서 우리가 살고 있는 이 땅에 파묘가 필요했다.

같을 수가 없었다 : 이야기의 톤 앤 매너가 바뀌는 이유

혼령. 쉽게 말해 유령이다. 수천 개의 혼령 사진들을 찾아보았다. 몇 달의 고민 끝에 공통점을 발견했다. 전부 유령을 찍은 사진은 없고 찍힌 사진만 있더라. 그래서 첫 번째 관에서 나온 혼령은 찍지 않기로 했다. 그저 찍히기를 바라며 찍었다.
친일파인 혼령은 말한다. "나는 춥고 배고팠다."
나라를 팔아먹고 권력에 붙은 배신자의 최후는 결국 비가 부슬부슬 오는 초라한 화장장에서의 화장이다.

정령. 혼령이 자연물이나 사물에 깃들어 숭배 대상이 된 것. 두 번째 관에서는 쇠말뚝인 정령이 나온다. 일제가 박아놓은 쇠침이 실제 존재했는지 그냥 괴담인지 확신할 수 없었다. 그래서 상징이 필요했고 정령을 만들었다. 혼령과는 다르게 정령은 정확히 보여야 했고 만져져야 했고 종잡을 수 없어야 했다. 단단한 갑옷을 입고 커다란 일본도를 휘두르며 평화로운 조선의 땅에 피를 뿌리던 사무라이. 그 사무라이는 그 시대 우리 조선인에게는 너무나도 두렵고 거대해 보였으리라.
쇠말뚝인 다이묘 정령은 말한다. "나는 전쟁의 신이다. 그리고 나는 두려움이다."
그래서 최후에는 초라한 나무막대기와 우리의 피로 눈에 보이게 없애버려야 했다.

P.S.

투박하게 잘린 이야기와 생소한 정령의 모습을 끝까지 믿어주고 만들어준 배우들과 스태프들이 나에게는 진정한 영웅이다.

일러두기

1. 이 책은 지문, 대사(외국어 대사 포함), 문장부호 등 장재현 감독의 각본을 최대한 살려 편집했습니다.
2. 오리지널 시나리오이기 때문에 완성된 영화의 설정, 대사, 장면과는 다를 수 있습니다.

1. 비행기 안. 낮

승무원이 서비스 중인 조용한 비즈니스석.
창가 자리. 밖을 보며 와인을 마시는 화림(30대 초반).
그 옆에서 입을 벌린 채 자고 있는 봉길(20대 후반).
장발에 묶은 머리. 팔과 목에 보이는 한문 문신.

승무원 (일본어)
お客様、あともうすぐで到着致しますので、
同じワインでもうちょっといかがですか？
지루하셨지요. 곧 도착합니다. ...같은 와인으로 좀 더 드릴까요?

화림 (일본어)
いいえ。けっこうです。それから私は... 韓国人です。
아니요. 괜찮습니다. 그리고 저는요... 한국 사람이에요.

승무원 (일본어)
あ... そうでしたか。失礼いたしました。どうぞごゆっくり。
아... 그러시군요. 죄송합니다.

잠시 후, LA LAX 공항 도착을 알리는 기내방송.

2. LA 외곽도로. 낮

야자수 너머 LA 도심이 보이는 도로. 달리는 고급 세단.

(회계사)

대표님께서 주력으로 하시는 사업은 부동산 쪽이신데...

뒷좌석에 화림과 봉길. 그리고 운전하며 이야기하는 회계사.

회계사

한국에 땅도 꽤 많으시고 미국에서도 여러 투자사업 하시는 뭐...
그런 분들 있잖아요. 태어나면서부터 부자인 사람들요.
밑도 끝도 없는... 그냥 부자...

화림

그래도 친한 의사 소개로 여기까지 일하러 왔는데...
그쪽 집안에 대해 아는 게 너무 없어서 여쭤봤습니다, 회계사님...

회계사

(룸미러를 슬쩍 보며)

아 네... 근데 두 분... 이런 일 하시기엔 좀... 어려 보이시네요.

'푸훗...' 비웃는 봉길.
그리고 피곤한 듯 창밖을 보는 화림.

3. St. Joseph Medical Center_ 복도. 낮

병실 앞 복도. 중년 여성(박지용의 처. 40대)과 이야기 중인 회계사.
복도 끝에 앉아 있는 화림과 봉길.

불만스러운 표정인 박지용의 처. 그냥 병실로 들어가고,
회계사는 어색하게 웃으며 화림에게 들어오라 손짓한다.

4. St. Joseph Medical Center_ 병실 / 복도. 낮

최고급 병실. 한 살도 안 된 아이가 병상에 누워 있다.
여러 약물을 투여 중인 아이를 유심히 바라보는 화림과 봉길.
그리고 그들을 경계하는 눈빛인 박지용의 처와 보모.

회계사

약물 때문에 진정은 됐는데... 뇌파를 한번 보세요.

모니터로 보이는 요동치는 파장.

회계사

태어날 때부터 울음을 그치지 않습니다. 유명하다는 의료진이
전부 붙어봤지만... 의학적으로는 아무런 문제가 없다고...

봉길

저희도 다~ 듣고 왔습니다...

병실 주변을 둘러보는 봉길. 가만히 아이를 보고 있는 화림.
그리고 화림의 대답을 기다리는 회계사와 박지용의 처.

화림

죄송하지만... 저희만 있을 수 있을까요?

박지용의 처

...네?

cut to 병원 복도

문밖에 서 있는 회계사와 보모 그리고 박지용의 처.

cut to 병실

아이 가슴에 올려지는 작은 팥 주머니. 붉은 글씨 '喚'이 적혀 있다.

작게 주문(신중구령장)을 읊조리는 봉길.

탁~ 캔 음료를 하나 따 마시며, 아이를 바라보는 화림.

봉길

~일왈천생이왈무영삼왈현주사왈정중오왈결단육왈회회칠왈단원~

봉길의 주문이 끝나고, 화림은 아이의 눈을 뒤집어본다.

cut to 병원 복도

드르륵~ 열리는 병실 문.

cut to 병실

뚱한 표정으로 짐을 챙기는 봉길.

불만스러운 표정으로 화림을 바라보는 박지용의 처.

화림

집에 비슷한 사람이 더 있겠네요... 아버지하고... 할아버지...

놀라는 박지용의 처와 회계사.

그리고 그들의 얼굴을 바라보는 화림.

(화림)

저 얼굴들... 의심에서 놀람으로 바뀌는 저 표정.

언제나 밝은 곳에서 살고 환한 곳만 바라보는 사람들...

5. LA 순환도로. 노을

따뜻한 노을빛. 한적한 부촌의 야자수들.

달리는 차. 창밖을 바라보는 화림.

(화림)

세상은 환한 빛이 있어야 우리 눈에 보인다.

그리고 사람들은 그 보이고 만질 수 있는 것들만 믿는다.

6. 박지용의 집_ 거실. 노을

거대한 규모의 LA 고급 저택. 다소 폐쇄적이다.

적막한 거실. 박지용을 기다리는 화림과 봉길.

봉길은 음식을 먹고, 화림은 벽에 가득 진열된 골동품들을 구경한다.

(화림)

가만히 같이 살펴보자.

환한 빛이 있는 세상. 그리고 그곳의 뒤편.

태초에 밝은 곳과 항상 같이 존재하는

그... 춥고 습하며 불쾌한... 어두운 그곳.

골동품 중 오래된 불상. 그리고 그 뒤편의 어두운 구석.

(화림)

예전부터 사람들은 그곳에 살고 있는 존재들을 알고 있었고,

여러 가지 이름으로 불러왔다.

영혼. 귀신. 악마. 도깨비. 요괴...

그리고 그들은 언제나 밝은 곳을 그리워하며 질투하다가,

가끔... 아주 가끔 반칙을 써 넘어오기도 한다.

화림은 불상 뒤 어두운 구석에 처박힌 작은 조각품을 바로 돌려놓는다.
그로테스크한 도깨비 형상의 조각품.

(화림)

그리고 그때 사람들은 날 찾아온다. 난 무속인이다.

바로 그 사이에 있는 사람.

밝은 곳과 어두운 곳. 과학과 미신. 그 가운데에

우리 같은 사람들이 세금 없는 현찰을 기다리며 서 있다.

나는... 무당 이화림이다.

편안한 차림으로 거실로 들어오는 박지용(50대).

라틴계 가정부에게 겉옷을 주고, 화림에게 다가온다.

박지용

집사람한테 연락받았습니다. 박지용입니다.

화림

네. 이화림이에요...

악수하며 박지용의 얼굴을 유심히 살피는 화림.

7. 박지용의 집_ 응접실. 저녁

응접실에 앉아 이야기하는 화림, 봉길 그리고 박지용.

화림

그렇다면 아버님 때부터 시작된 거네요...

박지용

네. 형이 정신병원에서 결국 자살하고... 그때부터 저에게...
또 갓 태어난 아들한테도 시작됐습니다.

의외로 무표정한 얼굴로 담담하게 이야기하는 박지용.

박지용

눈을 감으면 누군가 비명을 지릅니다. 목을 조르고... 악몽... 그 악취...

화림

장손들... 핏줄 돌림... 이게... 보통 처음엔 유전병을 의심하다가
다음에는 집터가 문제라며 이사까지 다니기도 하지요.

그때 2층에서 내려오는 박지용의 모(배정자. 60대). 외출복 차림에
날카로운 인상.
불만스러운 눈빛으로 화림 일행을 훑긴다.

박지용

저희 집안은 사실 그런 것들을 그렇게 믿지는 않습니다.
그렇지만... 흠... 이제는 방법을 모르겠네요.

씁쓸한 웃음으로 화림을 바라보는 박지용.
화림은 찻잔에 손바닥으로 그림자를 만들며 말한다.

화림

저희는 이런 걸 그림자라고 불러요...
이 집에 처음부터 그림자가 보였어요.
여기 핏줄들을 누르고 있는 그림자... 아마도 조부의 그림자일 겁니다.

박지용

저희 할아버지요?

화림

네. 쉽게 말해서 묫바람... 보통 산소탈이라고도 하는데...
뭐 한마디로 조상 중에 누군가가 불편하다고 지랄하고 있는 거죠...

그것도 아주 많이요...

박지용

...확실한 건가요?

화림

네... 100퍼센트요.

박지용

그럼 어떻게 해야 합니까?

화림

돈 쓰고 사람 써야지요. 저 혼자는 못하고...
전문가들이 있어야 되는데... 아이씨... 쯧...
(봉길을 바라보며)
갑자기 눈앞에 섬뜩한 얼굴들이 지나가냐... 하...

봉길도 누군가를 떠올린 듯, '후~' 깊은 한숨을 내쉰다.

8. 보성 명당 무덤. 오전

화면이 누군가의 손에 파헤쳐지자, 살짝 보이는 김상덕(60대)의 얼굴.
그 옆에 호미를 들고 있는 장의사 고영근(50대 초반).

일꾼들

개관이요!

화창한 가을 햇빛이 쏟아지는 산 중턱 명당자리.

검은 상복의 가족들. 무덤 근처에 모여 있는 일꾼들.

구덩이 안의 흙을 입에 넣어 맛보는 김상덕. 고개를 끄덕인다.

일꾼들

파관이요!

상복을 입은 가족들은 구덩이 위로 모여들고,

그 가운데 상주로 보이는 인상 좋은 진 회장(50대).

고영근

(올려다보고 소리치며)

으디 어르신 깨우는디 쳐다들 봐!

고영근의 꾸지람에 머쓱해서 물러나는 가족들.

김상덕과 고영근은 함께 호미로 관 뚜껑을 연다. 끼익~ 열리는 관.

누런 삼베를 걷어내자, 곱게 황골 된 유골.

김상덕

향긋~하다...

유골 주변에 보이는 진주 목걸이와 금반지.

유골을 수습하는 고영근. 자연스럽게 부장품을 주머니에 집어넣는다.

9. 보성 명당 무덤 옆. 낮

무덤 옆. 오동나무 칠성판에 유골을 수습하는 고영근.
산 아래 황금빛 논. 등산 의자에 앉아 전자 담배를 피우는 김상덕.

김상덕
진 회장... 여기 어머님하고 집안 어르신들 누울 자리는
전부 내가 다 봐드렸지요?

진 회장
네. 그렇지요.

김상덕
지금 다~들 발복해서 건강하고 사업도 번창하고 좋지요?

진 회장
예... 덕분입니다.

김상덕
(자리에서 일어나 걸어가며)
내가 여기 다시 파봐도... 이런 명당은 내 40년 커리어
베스트에 들어가는 자리야. 오행이 딱 맞아떨어진다고...
하... 정말 싸게 해줬다 진짜...
걱정하지 말고 다시 묻어드리는 게 맞는 것 같아...

진 회장

김 선생님께서 그렇게 말씀하시면 그런 거지요.
근데 왜 자꾸 애들 꿈에 나오시는 걸까요.
요즘 집사람도 어머니가 보인다고 그러고...

김상덕

고 장의사... 왜케 오래 걸려! 배고파 죽겠는데...

혼자 투덜거리며 유골 염을 마무리하는 고영근.
모여 있는 사람들을 뚫고 유골 앞에 서는 김상덕.
칠성판에 보기 좋게 수습된 황금빛 유골.
그리고 그의 대답을 기다리는 가족들.

김상덕

음... 누가 할머니 이를 가지고 있네.

놀라는 가족들과 친척들. 수군거리며 서로를 바라본다.

김상덕

누가 할머니 틀니를 가지고 있다니까...!

의아한 표정으로 아내를 쳐다보는 진 회장.
그때 뒤쪽에 있는 중학생 손자(상현). 겁먹은 표정으로 고개를 숙인다.
어느새 진 회장은 아들 상현에게 다가가고,

진 회장

너... 혹시 할머니 틀니 가지고 있니? ...응?

눈물이 고인 채, 아무 말 못하는 막내아들.

진 회장 처

상현아. 너 옷장에 있는 거 그거... 할머니 틀니니?

진 회장

그걸 너가 왜 가지고 있니...

상현

할머니 돌아가시고... 물건들 다 태웠는데... 이제 할머니 없는데...
주무실 때 매일 화장실에 빼놓고... 흐흑...
아빠... 내가 뭐라도 가지고 있어야...

어이없는 진 회장과 가족들. 계속 울먹이는 상현.
상현에게 다가가는 김상덕. 다정하게 말한다.

김상덕

할머니가 배고프시대... 어여 돌려드려야지...

상현

흐흑... 그럼 저는요... 할머니 뭘로 기억해요... 아무것도 없는데...

김상덕

상현아... 할머니... 매일 너 옆에 계셔.

울음바다가 되는 이장 현장. 가족들은 하나, 둘 상현을 안아준다.
머쓱하게 눈물을 훔치는 고영근.
그리고 그 가족들의 모습을 바라보는 김상덕.

(김상덕)

핏줄이다. 죽어서도 절대 벗어날 수 없는...
같은 유전자를 가진 육체와 정신의 공유 집단.

10. 산속 어딘가. 노을

멀리 하산하는 일꾼들. 고급 세단을 타고 떠나는 진 회장의 가족들.
혼자 남아 축문을 중얼거리며 새로 만든 봉분의 잡초를 뽑아주는 고영근.
그리고 숲속 어딘가를 홀로 걸어가는 김상덕.
노을에 빛나는 개울. 이끼 낀 바위. 기름진 흙.
커다란 고목을 기어가는 거미.

(김상덕)

사람의 육신이 활동을 끝내면 흙이 되고 땅이 된다.
그리고 우리는 그 흙을 마시고 그 땅을 밟으며...
살고... 죽고... 또 태어나며... 계속 돌고 돈다.
뭐... 한마디로 이 흙과 땅이 모든 것을 연결하고 순환시키는 것이다.

커다란 나무 밑에 보이는 탐스러운 송이버섯. 그 옆을 슬그머니 지나가는 뱀.
음흉한 표정으로 조심스럽게 다가가는 김상덕.

(김상덕)
그래서 나는 먹고산다. 미신이다 사기다 좆 까라 그래.
대한민국 상위 1퍼센트에겐 종교이자 과학이다.
난 지관이다... 산 자와 죽은 자들을 위해 땅을 찾고, 땅을 파는...
풍수사 호안 김상덕이다.

11. 의열 장의사. 밤

경기도 변두리. 고영근의 고즈넉한 의열 장의사.
앞마당에 커버로 덮인 운구차. 그 옆에 김상덕의 오래된 SUV.
낡은 TV에 나오는 뉴스.
벽에 걸려 있는 고영근의 각종 자격증. TV 출연 자료들.
송이를 구워 막걸리를 마시는 김상덕과 고영근.

김상덕
...거 좀 우리 익으면 먹자... 쯧...

고영근
크하~ 좋다... 소고기는 손도 안 가여... 흐흐...
그나저나... 내 물어볼 게 하나 있는데...
솔직히 오늘 거기... 명당은 맞어?

김상덕

어허... 그래도 단골인데...

고영근

거 보니께 앞에 현무도 좀 애매하고... 범도 모양이 썩... 잉...

김상덕

뭐 반풍수 다 됐네 다 됐어... 쯧... 이제 혼자 다 일해 그냥...

고영근

아니~ 내 생각을 좀 해보니까...

매년 한국서 평균 25만 명이 죽고 그중에 30프로는 매장인디...

조선 때부터 이 좁아터진 땅에 좋다는 곳마다

그 많은 사람을 묻었단 말이여.

근데 아직도 그렇게 명당이 척척 나온다는 게... 이게...

말없이 술잔을 채우는 김상덕.

김상덕

...딱 65점짜리다. 오늘 거기...

맞어... 이제 여기 씨가 마를 대로 마르긴 했지.

고영근

그려... 요즘 김 풍수 작품들 보면 좀 아리까리하다니까느...

고영근의 잔을 채워주는 김상덕.

김상덕

너네 염쟁이들도 상조로 다 팔려가고...

지관들은 공사장만 찾아다니고...

우리가 끝물이야. 라스트 스탠딩...

그니깐... 응? 요 몇 년 바짝 땡겨보자고... 정신 바짝 차리고...

서로 잔을 부딪치는 두 사람. TV에 나오는 뉴스.

고영근

크하~ 그럼 혹시... 만약 거... 통일이라도 되면 어케 되는 거여?

김상덕

크하~ 그러면 뭐... 저~ 넓은 땅으로 다시 쫙~ 전성기지...

고영근 마지막 남은 송이를 재빠르게 집어 먹는다.

그때 창밖으로 보이는 자동차 불빛.

고영근

빨리들 오셨네잉...

드르륵~ 문이 열리고 들어오는 화림과 봉길.

김상덕

일찍들 왔네. 우리 선생님들...

화림

하이고~ 송이 냄새가 서울까지 올라오는데 참을 수가 있어야지요.

고영근

잉... 내가 좀 남겨놓자니깐 형님이 다 드셨네... 참... 사람 욕심이...

봉길

잘들 계셨지요? 자주 연락 못 드려 죄송합니다.

고영근

아니여. 아니여... 봉길이는 사랑 많이 받나 벼... 점점 이뻐져...

화림

말도 마요. 언니들이 서로 델꼬 다닌다고 아주... 버릇 나빠지게...

자연스럽게 자리를 같이하는 네 사람.

김상덕

우리 한 3년 만인가...

화림

네. 세월 빠르네요... 어째 요즘 장사는 좀 어떠세요?

고영근

이제 슬슬 비수기여... 이상하게 추워지면 사람도 잘 안 죽어여...

화림

그래서 제가 이렇게 어르신들...

김상덕

잠깐만 잠깐만... 고 장로... 뭔 냄새 안 나?

화림의 몸을 킁킁거리는 고영근과 김상덕.

의아한 화림과 봉길.

고영근

뭔 냄새가 나는데... 잉...? 이거!

김상덕

그래~ 그거... 돈 냄새네~

화림

아이씨... 숨긴다고 숨겼는데 진짜... 쯧... 딱 걸렸네요~

다 같이 한바탕 웃음.

막걸리를 걸쭉하게 한 잔 마시는 화림.

화림

친한 의사 소개로 미국에 좀 이상한 집안에 갔다 왔는데요...

김상덕

미국 사람이야?

화림

아버지까지 한국 사람인데... 의뢰인 본인부터는 미국 국적이에요.
박지용 씨라고... 밑도 끝도 없는 뭐... 그냥 부자예요. 엄청...

고영근

이잉... 시작 좋고...

화림

장손들이 귀신병을 앓더라구요. 갓난애까지...

김상덕

꽤 오래 버틴 거네... 빙의는 아니고?

화림

아직 그렇게까지는 아닌데... 딱~ 보니... 묫바람입니다.

12. 박지용의 집_ 아버지 방. 저녁

벽에 걸려 있는 십자가. 박지용의 아버지(박종순. 80대)의 방.
멍하니 의자에 앉아 창문 밖을 응시하고 있는 박종순. 넋이 나가 보인다.

배정자 (영어)

Are you really gonna dig up your grandfather's grave?
It's been almost 100 years.
100년이 다 된 할아버지 무덤을 판다고?

남편 옆에서 조용하고 침착하게 말하는 배정자.
그리고 무표정으로 담담하게 말하는 박지용.

박지용 (영어)

I don't need your approval. I've made up my mind.
허락 안 하셔도 상관없습니다. 이미 결정했어요.

배정자 (영어)

You really believe in such things?
너 정말... 그런 걸 믿는 거니?

박지용

...

배정자 (영어)

And you think your aunt in Korea will agree on this?
...그리고 한국의 고모가 허락할 것 같아?

박지용 (영어)

I'm the head of the family, so I make the decisions.
이제 내가 장손이고... 내가 결정합니다...

주르륵~ 멍하니 침을 흘리는 박종순.
배정자는 침을 닦아주며, 은밀히 말한다.

배정자

우선 나는 그 사람들을 믿을 수가 없다. 잘못하면 일이 커질 거야...
우리는 그냥... 조용히 여기서... 응?
그냥 멀리서 가만히 살면 되는 거다.
흠... 애는 금방 괜찮아질 거다. 함께 기도하고... 또 치료하고... 응?

고개를 숙인 채 작게 비웃는 박지용.

13. St. Joseph Medical Center_ 병실. 저녁

미친 듯이 발작하며 울고 있는 아이.
간호사가 달려 들어와 링거에 주사를 놓는다.
말없이 그 모습을 보고 있는 박지용과 그의 처.

14. 박지용의 집_ 서재. 늦은 밤

어두운 박지용의 방. 은밀한 박지용의 뒷모습.
마약을 투여한 뒤, 작은 경련을 일으키며 축 늘어진다.
팔 곳곳에 보이는 주사 자국. 그 위로 들리는 흐느낌과 웃음소리.

15. 서울양양고속도로. 오전

고속도로 터널을 나오는 김상덕의 자동차. 조수석에 고영근.

고영근

뭐 어뗘. 괜찮여... 결혼식 전에 배만 안 나오면 되지...

김상덕

그래도 그렇지. 갑자기 손주라니... 하... 그것도 파란 눈...

고영근

그게 바로 뉴 제너레이션이여 이 양반아... 촌스럽기는...
그러면 연희는 결혼하고 거기 독일에서 계속 사는 거여?

김상덕

여기 바글바글 한국보단 낫지 뭐. 미세먼지도 없고
손주들 교육도 좋고... 근데 집사람이 거기 사돈들 만났는데...
서로 영어도 안 되고 답답하드래...

고영근

사돈끼리 싸울 일은 없것네...

김상덕

...암튼 딸내미 결혼 때문에 돈 좀 필요했는데... 큰 게 걸렸단 말이야...

고영근

이번에 나도 통영에 펜션 산 거 대출도 싹 다 갚고... 잉...
이렇게 또 우리 주님은 때가 되니깐 퇴직금도 땡겨주셔요...
근디... 이 사람 얼마나 부자면 이장만 하는데 5억을 준다는 거여...

김상덕

...더 줬겠지.

고영근

잉?

김상덕

이화림이 재가 어떤 년인데 중간에서 안 먹었겠어?

고영근

그치... 새파란 게 까져가지고... 잉...
그러면 저번처럼 이장 전에 산신제라도 좀 그럴싸하게 부탁해야것다.

김상덕

그건 일단 묫자리 먼저 보고 판단하자고... 다 왔다.

16. 홍천휴게소. 오전

차에 기대 커피를 마시며 담배를 피우는 화림과 봉길.
그 옆에 선글라스를 낀 채 서 있는 고영근.
김상덕은 회계사를 따라 박지용의 차 뒷좌석에 탄다.

김상덕

(안경을 쓰고 수첩을 꺼내며)

일단 조부님 존함이랑 고향 먼저 알려주시고... 쯧... 제가 원래 집안사람들 평판이랑 직업까지 다 보고 일하는 사람인데...
급하다고 하시니깐 뭐...

박지용
돈을 받는 사람보다 주는 사람이 더 신뢰가 필요한 게 아닌가요?

김상덕
네... 신뢰... 내키지 않으시면 뭐... 지금이라도 없던 일로 하시든지요.

수첩을 접어 넣고 차에서 나가려는 김상덕.

박지용
...두 가지만 지켜주시겠습니까?

김상덕
...

박지용
오늘 모든 일은 전부 비밀로 해주십시오.
...그리고... 바로 화장해주십시오... 관째로...

김상덕
관째로요? ...그럼 개관을 하지 말라구요?

박지용
상관있으시나요?

어차피 다른 곳으로 옮기거나 화장하는 거라 들었습니다.

김상덕

이게 보통 구청에 신고도 해야 되고...
개관을 해서 장의사가 유골 수습을 한 다음...
그런 다음에 다른 자리로 옮기거나 화장을 하는 건데...

박지용

...

김상덕

흠... 쯧... 일단 묫자리 먼저 봅시다.

박지용

부모님도 그렇고 친척들이 반대가 심합니다. 그래서 최대한 빨리...

김상덕

묫자리 먼저 보자구요.

17. 지방국도. 오전

멀리 우람한 산들이 겹겹이 보이는 지방국도.

터널 안으로 들어가는 세 대의 차.

맨 앞에 박지용의 세단. 뒤에 화림의 차. 그리고 마지막에 김상덕의 차.

고영근

관을 따지 말라니... 아무리 생각해도 이상혀...

김상덕

...

고영근

유골이 어떤지는 봐야 할 거 아니여... 염도 안 한다?

잠시 후, 갑자기 음흉한 표정으로 바뀌는 고영근.

고영근

알것네... 내 느낌이 확 와... 어마어마한 게 들어 있는 거여. 부장품이...

멀리 앞쪽에 거대한 산들을 바라보는 김상덕.

김상덕

강원도 북쪽이라... 불안하다...

그때 도로 옆에 보이는 산 아래 작은 마을.

그리고 마을 입구에 낡은 간판이 김상덕의 눈에 들어온다.

'☯보국사'

18. 군사 도로 / 게이트 / 능선길. 낮

/ 군사 도로

험한 산들 사이에 있는 군사 도로.

차량 행렬을 지나치는 군용차들.

/ 게이트

고지대 군사 도로 바로 옆. 작은 도로 초입.

비상등을 켜고 멈추는 박지용의 차.

두꺼운 철조망으로 된 폐쇄적인 게이트. '출입금지 사유지'

차에서 내린 회계사. 커다란 자물쇠를 풀고,

끼이익~ 게이트를 연다.

/ 능선길

꽤 오랫동안 관리가 안 된 좁은 산길.

꼬불꼬불 가파른 능선길을 올라가는 차량 행렬.

19. 묘 아래 공터. 낮

정상 바로 밑 공터에 멈추는 차들.

차에서 내려 좁은 숲길을 올라가는 박지용과 회계사.

그 뒤를 따라가는 고영근과 봉길.

그리고 그 뒤에 김상덕과 화림이 올라간다.

20. 묘 아래 숲길. 낮

경사진 숲길을 올라가는 사람들.

멀리 숲속 깊은 곳에 보이는 거대한 고목 하나.

그 나무를 바라보는 화림. 그리고 뒤에서 걸어오는 김상덕.

화림

산꼭대기 묘 보신 적 있으세요?

김상덕

...드물지.

화림

혹시 여기 이 산은... 아는 곳인가요?

김상덕

...처음 와보는데.

화림

그렇게 팔도강산 다 꿰고 계시는 분이 모르는 곳도 있나요?

김상덕

나는 명당만 찾아다니거든...

무뚝뚝하게 숲길을 오르는 김상덕.

뭔가 불만스러운 표정으로 그를 따르는 화림.

그 너머 고목 옆으로 보이는 작은 짐승들.
낯선 동물. 여우들이다.

21. 산 정상_ 묫자리. 낮

숲길이 끝나고 도착한 정상. 한쪽으로 펼쳐져 보이는 화려한 산맥들.
정상으로 올라오는 일행들. 순간 발을 멈춘다.
앞쪽에 보이는 으슥한 숲. 그 앞에 작고 평범한 무덤.
천천히 무덤으로 다가가는 김상덕.
그리고 뒤에서 김상덕을 바라만 보고 있는 일행들.
장갑을 벗고 무덤 주위 흙을 집어 맛보는 김상덕. 뱉어버린다.
바로 앞. 낡은 돌비석에는 이상하게 아무것도 적혀 있지 않다.
무덤 한쪽으로 장엄하게 펼쳐진 거대한 산맥들. 감탄하는 고영근.

고영근

이야... 용이 그냥 쫙 펼쳐졌네 아주... 이북도 보이고...

김상덕

...

고영근

거 자리는 어마어마한디... 묘는 좀 소박혀... 그지?

아무 말 없이 봉분 위로 올라가는 김상덕. 방향별로 용범무작을 확인한다.
그러다 비석 뒤편 아래. 작게 보이는 희미한 글씨.

다가가 흙을 털어보니, 한문으로 된 숫자가 새겨져 있다.
'三八.三四一七 一二八.三一八九'
전자 담배를 피우며 박지용에게 다가가는 김상덕.

김상덕

...여기 묘를 누가 잡아줬는지 알 수 있습니까?

박지용

고모님께 들었습니다...
당시 유명한 스님께서 조부가 나라에 큰 공을 세우셨다고
제일가는 명당자리를 찾아주셨다고 들었습니다.

김상덕

스님요?

박지용

네. 법명이 기수네...라는 스님이라 들었습니다.

김상덕

기수네라... 법명이 특이하네... 그런 것치고 묘가 좀 소박한데요...

박지용

당시에 도굴이 심했다고...
그래서 조용히 소박하게 모셨다고 들었습니다.

대충 고개를 끄덕이고, 다시 천천히 무덤을 돌아다니는 김상덕.

화림

좀 어때요?

아무 말 하지 않는 김상덕. 담배를 끄고 박지용에게 말한다.

김상덕

사장님... 이번에 제가 못 도와드릴 것 같습니다. 죄송합니다.

놀라는 박지용. 더 놀라는 화림과 봉길. 그리고 그보다 더 놀라는 고영근. 김상덕은 묘를 떠나 혼자 숲으로 내려간다.

22. 묘 아래 공터. 낮

차로 걸어가는 김상덕. 그 뒤를 따라붙는 화림.

화림

왜 그러시는데요?

김상덕

...

화림

뭐가 문젠데요? ...자리가 그렇게 이상해요?

김상덕

…

화림

왜 말을 안 하는데…!!!

말없이 차에 타는 김상덕.

그리고 화림을 지나쳐 차에 타는 고영근.

고영근

뭔 소리여… 안 한다니!

김상덕

…

이어 차에 타는 화림과 봉길.

봉길

선생님… 이거 얼마짜린지 알고는 계시죠?

고민하는 김상덕. 잠시 후 조심스럽게 말을 꺼낸다.

김상덕

여기 전부 잘 알 거야… 묘 하나 잘못 건들면 어떻게 되는지…

놀라 김상덕을 바라보는 세 사람.

김상덕

내 40년 땅 파먹고 살았는데... 저긴... 도저히 모르겠다.

듣도 보도 못한 음택이야. 씨발 진짜 악지라고...

사람이 절대 누워 있을 자리가 아니야.

고영근

하...

김상덕

저런 데 잘못 손댔다가 지관부터... 일하는 사람들... 싸그리 줄초상 나.

액이 우리한테 돌아온다고... 화림이 너 봤지? ...여우들...

화림

...

김상덕

묘에 여우는 상극이야. 말이 안 되는 거라고...

음지 중에 음지란 말이다...

말없이 가만히 있는 일행들.

차 밖에 서 있는 박지용. 김상덕을 바라본다.

23. 서울 프라자호텔. 밤

서울 도심 속에 보이는 프라자호텔.

스위트룸 통유리 창으로 시청과 광화문이 보인다.
응접실에 앉아 있는 김상덕과 화림.

박지용

앞에 두 아이가 더 있었습니다. 알 수 없는 이유로 전부 유산하고...
늦은 나이에 어렵게 얻은 아들이에요.
이게... 마지막으로 본 웃는 얼굴입니다.

박지용은 갓 태어난 아들의 사진을 김상덕에게 건넨다.

박지용

...김 선생님께서는 자식이 있으십니까?

김상덕

...곧 시집가는 딸이 하나 있습니다.

박지용

아 축하드립니다... 그러면 혹시... 따님도 비슷한 일을 하시나요?

김상덕

아니요... 우리 연희는 카이스트에서 우주공학 전공해서
지금은 독일에 있는 항공회사에 다니고 있습니다.
...이제 품 밖의 자식이죠 뭐...

박지용

재밌네요. 아버지는 풍수사시고... 딸은 우주공학이라니...

김상덕

그게 알고 보면 서로 비슷한 분야입니다...
오행이란 게 땅을 기본으로... 물, 불, 쇠, 나무...
필수 요소들을 공부하는 거고... 우주공학도 알고 보면...

씁쓸하게 웃으며 고개를 끄덕이는 박지용.
하지만 경련을 일으키듯 작게 손을 떨고 있다. 그 모습을 보는 화림.
방 안에 잠시 침묵이 흐르고.

박지용

...그러면 제 아들 좀 살려주세요.

잠시 서로를 바라보는 박지용과 김상덕.

김상덕

박지용 씨... 당신 우리한테 숨기는 게 있지요?

박지용

네? 무슨 말입니까?

김상덕

거기 조부의 묘는 싸구려 지관이 팔아먹는
그저 그런 가짜 명당 같은 곳이 아닙니다.
...삼팔삼사일칠 일이팔삼하나팔구...

박지용 / 화림

...?

김상덕

위도와 경도. 비석 뒤에 새겨져 있던 숫자. 그 기수네라는 스님...
누군지는 모르겠지만... 소름 끼치도록 정확합니다.
어떤 명백한 의도가 보인다구요.

박지용을 바라보는 김상덕과 화림.
잠시 후, 고개를 저으며 말하는 박지용.

박지용

아니요. 모르겠습니다... 그리고 제가 두 분께 숨기는 건 없습니다.

김상덕

다시 한번 말하지만... 저런 정체 모를 악지에서 이장을 한다는 건...
정말 위험합니다. 이게... 한마디로 지뢰를 파내는 거랑 같은 건데...

아이의 사진을 바라보던 화림.

화림

대살굿을 해보죠.

김상덕

(일어나 창가로 가며)
그럴 줄 알았다. 쯧...

화림

이장이랑 동시에 하는 거죠. ...왜 이래요. 답을 알고 있었으면서....

김상덕

나는 내가 안 해본 건 안 믿는다...

화림

이장할 때 하는 건 첨이긴 하지만...

이론적으로 불가능한 건 아니잖아요. 알잖아요...

이것도 전부 하늘. 땅. 사람... 네? 음양오행으로 하는 건데...

김상덕

...

화림

아니 잠깐만... 왜 저희가 지금 김 선생님 허락을 받고 있죠?

지관이 한국에 한 명 있는 것도 아니고... 참 나...

이래서 꼰대들하고 일하기 힘들다니까...

아니... 애가 아프다잖아요... 네?

차를 마시며 김상덕을 노려보는 화림.

멀리 서울 야경을 바라보던 김상덕.

잠시 후, 한숨을 쉬며 화림을 돌아본다.

그리고 박지용을 바라보는 화림.

(화림)

액돌리기라고도 하고... 일종의 속임굿이에요.
결국에는 그 묘에서 나오는 음한 기운이 사람들을 해치는 건데...

24. 이장 대살굿 준비 몽타주. 오전

화창한 늦가을 아침. 탑차에서 내려지는 죽은 돼지 다섯 마리.
무덤과 조금 떨어진 곳. 굿을 준비하는 화림과 봉길 일행.

(화림)

일단 돼지띠 일꾼들 다섯 명이 묘를 파는 거예요.
그리고 그 사람들이 땅에 손댈 때마다,
제가 바로 옆에서 대신 액을 쳐내는 겁니다.

봉길은 일꾼들 머리카락을 조금씩 잘라, 다섯 마리의 돼지 입속에 각각 넣는다.

(화림)

일꾼들에게 오는 액을 옆에 있는 대물로 가게 해서
날려버리는 원리죠.

긴장한 표정으로 묘를 바라보는 김상덕.
그리고 일꾼들에게 묵직한 봉투를 건네는 고영근.
단정한 한복으로 갈아입은 화림. 담배를 마저 피우고, 운동화로 갈아 신는다.

봉길은 말없이 다가와 화림의 신발 끈을 묶어 주고,
그런 봉길을 내려다보는 화림.

화림

...평소 하던 대로 해. 초반부터 경문 바로 들어가고...

봉길

네~ 압니다, 선생님~

화림

악사님들은 봉길 아재 경문 들어가면 구음 받쳐주시고요!

악사들

네...!

각자 악기를 들고 자리를 잡는 악사들.
그 너머 상복을 입은 박지용. 그에게 다가오는 회계사.

회계사 (영어)

Your aunt is here. Seems like your mother shared what's happening.
고모님이 오세요. 여사님께서 결국 얘기한 것 같네요...

지팡이를 짚고 묘로 다가오는 검은 옷의 고모(80대)와 딸(40대).
불편한 표정이다.
어색하게 인사를 한 뒤, 시선을 피하는 박지용.
무덤을 바라보고 축문을 시작하는 고영근.

고영근

유세차 임인시월신해삭십일경신

유학고영근 감소고우 토지지신 자유학생...

고영근의 축문이 끝나고, 삽을 하나 들고 무덤으로 걸어가는 박지용.
삽으로 무덤을 치며 소리친다.

박지용

파묘요! 파묘요! 파묘요!

25. 산 정상_ 이장 / 대살굿. 오전

둥~둥~둥~ 봉길의 북소리가 들려오자, 무덤으로 모여드는 일꾼들.
화림은 칼춤을 추며, 장군 신을 모신다.
두 개의 칼을 들고, 매달아놓은 돼지들 앞에 다가서는 화림.
푹! 푹! 일꾼들의 삽이 땅에 꽂힐 때마다, 슥! 슥! 돼지들에게 칼질하는 화림.
미친 듯이 북을 치는 봉길. 진언을 시작하자 악사들도 구음을 합친다.
돌아가면서 삽질을 하는 일꾼들. 그리고 돼지들에게 칼질하는 화림.
초조한 표정의 김상덕과 고영근.
땅에 꽂히는 삽자루. 화림의 칼부림. 그리고 돼지에 생겨나는 칼자국.
이 모습을 냉랭한 표정으로 바라보는 박지용과 고모.
점점 속살을 보이는 무덤. 구덩이가 점점 깊어진다.
고영근은 구덩이로 들어가는 일꾼들에게 소금을 뿌리고,
구덩이 속에서 땅을 파는 일꾼들. 긴장한 표정이다.
계속되는 화림의 퍼포먼스. 점점 깊어지는 구덩이.

긴장한 표정으로 구덩이를 내려보는 김상덕과 고영근.
한참 후, 일꾼 중 덩치 큰 창민. 깊게 삽을 찔러 넣자,
탁! 창민의 삽에서 나는 소리.

고영근

나왔다.

창민

...개관이요!

멈추는 화림. 그리고 연주를 멈추는 봉길과 악사들.
김상덕에게 소금을 뿌리는 고영근. 김상덕은 구덩이 안으로 들어가고,
구덩이에서 나오는 일꾼들을 지나 밑으로 내려가는 고영근.
하~ 입김을 내뱉는 김상덕.

고영근

후... 한기가 아주...

불안한 표정으로 김상덕을 바라보는 고영근.
구덩이 주변으로 몰려드는 화림과 봉길. 그리고 박지용의 일행.
관 주변 흙을 조심스럽게 긁어내자, 모습을 드러내는 낡고 붉은 명정.
'朝鮮總督府中樞院副議長侯爵軍部大臣朴謹現'
명정의 글씨를 유심히 살펴보는 김상덕.
그리고 그 모습을 숨죽이고 바라보는 박지용과 고모.
하지만 100년이 다 된 낡은 명정. 글씨를 알아볼 수 없을 만큼 썩어 있다.
호미로 명정을 걷어내버리는 김상덕.

모습을 보이는 관. 오래되었지만 여전히 고급스럽다.

고영근

설마설마 했는디... 향나무관이여...

김상덕

그게 왜...

고영근

예전에 왕가 사람들만 쓰던 거여. 이거...

김상덕

하... 일단 빨리 관 뜨자... 여기 너무 싫다.

cut to

창민

부관이요!

흰색 결관끈에 묶여 올려지는 관.

수십 년의 자리에서 떠나는 관을 숨죽이고 바라보는 사람들.

고영근

천천히 그래... 좋아... 관째로 바로 운구차로 갈 거여.

끈 바꿔 맬 거니까 준비하고~

지상으로 올라온 관.

고영근은 결관끈을 다시 묶으며 옆의 창민에게 말한다.

고영근

창민아... 우린 바로 화장터로 갈 테니깐... 비석은 같이 묻어버리고 마무리 잘혀... 그리고 오늘 고기 먹지 말고... 알지?

창민

네. 형님.

전부 나와 아무도 없는 텅 빈 구덩이.

홀로 구덩이를 내려다보는 김상덕. 주머니에서 100원짜리 동전 하나를 꺼내,

김상덕

잘 쓰고 갑니다.

땡! 동전을 구덩이로 던지는 김상덕.

그 아래 보이는 깊은 구덩이.

26. 묘 아래 공터. 낮

고영근의 운구차로 옮겨지는 관.

그 뒤편에 서 있는 박지용. 다가오는 고모와 딸.

고모

화장하기로 했다면서... 내 허락도 없이...

박지용

관째로 바로 화장하기로 했습니다. 걱정하실 일 없을 거예요.

고모

그래도 내 아버지다... 그동안 아무 신경도 쓰지 않았으면서 갑자기...

박지용

이제 고리를 끊을 때가 됐습니다.

고모님... 미리 말씀 못 드려서 죄송합니다.

회계사와 차에 타버리는 박지용.

부르릉~ 시동이 걸리는 운구차.

운구차 운전석의 고영근. 그때 차 창문을 두드리는 김상덕.

김상덕

염도 못한 망자가 관 안에 있어... 정중히 모시자고...

고영근

나 대통령 염하는 고영근이여. 베테랑한테 왜 이랴...

(룸미러로 관을 보며)

이제 다 끝났으. 긴장 풀어...

하나씩 출발하는 운구차 행렬.

27. 산 정상_ 묫자리 / 묘 아래 공터. 낮

구덩이 밑으로 던져지는 이름 없는 묘비.

창민의 주도하에 분주하게 정리되고 있는 빈 묫자리.

구덩이 아래. 삽으로 땅을 찔러보며 부장품을 확인하는 창민.

창민

뭐 없나...

그때 작은 뱀 한 마리가 땅속에서 올라온다.

뱀을 보는 창민. 그런데 이상하게 생긴 뱀의 머리.

머리에 털이 있는 기형적인 모습.

창민

재수 없게...

푹! 삽으로 뱀을 내리치는 창민. 몸통이 잘리는 뱀.

소리

끼아악~

마치 메아리처럼 들리는 비명. 산과 하늘에 울려 퍼진다.

이상한 듯 주변을 돌아보는 일꾼들.

반이 잘린 채 죽어 있는 뱀.

머리털 사이 얼핏 사람 얼굴. 혀를 내밀고 죽어 있다.

cut to 묘 아래 공터
차 옆에서 옷을 갈아입던 화림. 뭔가 이상한 듯 하늘을 올려다본다.
하늘에 점점 모이는 먹구름.

cut to 묫자리
창민은 무심히 흙으로 뱀을 덮어버리고, 일꾼들도 구덩이를 메우기 시작한다.
그때 툭툭 떨어지기 시작하는 비. 쿠구궁!

28. 능선길. 낮

뱀처럼 생긴 능선길을 내려오는 운구차 행렬.
운구차 뒤를 따라가는 김상덕. 이상한 듯 하늘을 올려다본다.
하늘에 가득한 시커먼 먹구름.
달리는 고영근의 차창에 떨어지는 빗방울.

고영근
뭔 일이여 이거...

29. 산 아래 도로 갓길. 낮

어느새 굵어지는 비. 비상등이 켜지고 갓길에 멈춰 서는 운구차.
약속이라도 한 듯 차에서 내려 얘기하는 김상덕과 고영근.
그 모습을 바라보는 차 안의 박지용. 이내 김상덕이 달려온다.

김상덕

예보도 없는 비가 갑자기 와서... 말씀을 드려야 할 것 같습니다.

박지용

뭐가 달라지는 건가요?

김상덕

그게... 비가 오는 날엔 웬만해서는 화장을 하지 않습니다.

박지용

왜 그렇죠? 밖에서 화장을 하는 것도 아닌데...

김상덕

기술적인 문제라기보다...
비 오는 날 화장하면 망자가 좋은 곳으로 떠나지 못합니다.
미신이라고 보실 수도 있지만... 그래도 직업 윤리상 말씀드려야...

박지용

...

김상덕

아주 가끔 이런 일이 있긴 한데...
대부분 근처 병원 영안실에 유골을 안치했다가...
다시 손 없는 날을 잡습니다.

박지용

병원에 가면 장례 신고를 해야 하지 않습니까?

밖에서 누군가와 통화하는 고영근. 오케이 신호를 보낸다.

김상덕

그거는 걱정 마세요. 다 아는 사람들이니깐...

30. 고성 군립병원. 오후

쿠구궁~ 비가 쏟아지는 산 아래. 을씨년스러운 고성 군립병원.
한적한 병원 구석에 보이는 장례식장. 그 앞에 서 있는 운구차 행렬.
장례식장으로 걸어오며 관리소장(50대)과 얘기하는 고영근.

관리소장

관째로 온다는 게 뭔 말이래?

고영근

상주가 개관을 못하게 하는데... 암튼 그렇게 됐어...

고영근이 건네는 돈 봉투를 열어 확인하는 관리소장.

관리소장

마침 오늘 마지막 팀이 나가가 비어 있긴 한데...
하이고... 화장날 비 오고... 한번 떠나기도 힘드시네. 저분...

31. 고성 군립병원_ 장례식장 복도. 오후

어두운 복도를 지나 영안실로 관을 옮기는 관리소장과 고영근.

32. 고성 군립병원_ 주차장. 오후

차 안에 고모. 그리고 우산을 쓴 채 밖에 서 있는 박지용.

고모

다시 날을 잡는다니... 흠... 저 사람들은 정말 믿을 수 있는 거니?

박지용

줄 만큼 주고 할 말만 했습니다. 걱정 안 하셔도 됩니다.

고모

마침 시간이 좀 생겼으니...
여주 선산에 조용히 모시는 방법도 생각해보자.
나는 화장하는 게 계속 마음에 걸리는구나.

박지용

...

고모

내일 성북동으로 좀 오렴. ...일단 좀 쉬어라.

떠나는 고모의 차. 혼자 남아 있는 박지용.
쿠구궁~ 계속 쏟아지는 비.

33. 고성 군립병원_ 영안실. 오후

반지하 영안실. 그 가운데 덩그러니 놓인 관.

관리소장
개관을 못한다니깐... 관째로 그냥 여기 두자고... 습도는 맞춰놓을게...

고영근
그려... 무튼 고맙네 잉.

관리소장
관이... 야... 한 벼슬 했는 모양이래...

관을 단단히 다시 묶는 고영근.
영안실로 들어오는 김상덕. 고영근을 도와주며,

김상덕
상주한테는 서울 올라가 있으라 했고... 화림이네는 여기로 온대.

말없이 관을 바라보는 고영근.

김상덕

국밥이나 한 그릇 먹고 있어... 잠깐 어디 좀 갔다가 올 테니깐...

34. 지방국도_ 마을 입구. 오후

비 오는 도로를 운전하는 김상덕.

화면 가득 보이는 길가의 보국사 푯말.

그 너머 마을로 빠르게 들어가는 김상덕의 자동차.

35. 보국사. 오후

산 아랫마을. 구석에 보이는 작은 암자.

우산을 쓰고 안으로 들어와 마당을 둘러보는 김상덕.

작은 법당과 별채 그리고 커다란 창고로 구성된 보국사.

절의 모습은 거의 사라지고 그저 평범한 시골집으로 보인다.

컹컹! 김상덕을 향해 짖는 하얀 진돗개.

(보살)

처음 뵙는 분이신데... 어떻게...

나이 지긋한 할아버지(70대)가 비옷을 입은 채 대문으로 들어온다.

합장하며 인사하는 김상덕.

김상덕

실례했습니다... 지나가다 도로의 표지판을 봤습니다.

보살

아 그러시군요.

여기는... 한 달에 한 번씩 동네 노인들하고 작게 불공드리고...

각자 기도하는 뭐 그런 소박한 곳입니다.

김상덕

그게 다름이 아니라...

저기 보국사 표지판에 풍수지리 표식이 있어서

좀 의아해서 찾아왔는데요.

보살

허허... 혹시 지관이십니까?

김상덕

네. 관안 최의중 선생님 쪽에서 배웠고...

지금은 혼자 겨우겨우 땅 파먹고 살고 있습니다.

보살

여기가 좀 초라해 보여도 100년이 넘게 명맥을 이어온 곳입니다.

처음 여기 보국사를 만드신 주지 스님께서 풍수에 능하셔서

꽤 이름을 날리셨지요.

김상덕

네. 여기 자리만 봐도 알 수 있습니다.
그런데 혹시 그 주지스님 법명이... 기수네이십니까?

보살

기수네요? 아닙니다. 원봉스님이십니다. 뭐 때문에 여쭤보시는지...

김상덕

음... 저기... 산꼭대기에 이름 없는 묘가 하나 있는데... 알고 계신가요?

보살

그럼요. 지금도 있을라나 모르겠는데...
옛날에 소문은 많이 들었습니다.

의아한 표정의 김상덕.

김상덕

...무슨 소문을요?

36. 고성 군립병원_ 영안실. 오후

복도로 나가며 퇴근하는 관리소장.

관리소장

으슥한 데 혼자 있지 말고... 건너편에 가서 육개장이라도 한 그릇 해...

고영근

이잉... 알았어. 걱정 말어...

유리창 밖에 비가 쏟아지는 어두운 영안실.
그 가운데 덩그러니 놓여 있는 수상한 관.
혼자 남은 고영근. 묘한 표정으로 관을 바라본다.

(보살)

무덤에 보물이 묻혀 있다는 소문이 돌았었지요.

37. 보국사_ 처마 밑 / 창고. 오후

비가 떨어지는 처마 밑. 마루에 앉아 이야기하는 김상덕과 보살.
보살의 말에 집중하는 김상덕.

보살

조선 최고 갑부의 무덤이라는 얘기도 있고...
아무도 모르는 왕릉이라는 얘기도 있었고...

김상덕

...

보살

그래서 옛날에 도굴꾼들이 꽤나 몰려왔답니다...
여기 보국사도 그때 그런 사람들이 머물면서

덕분에 보시도 많이 모였었다고...

김상덕

...도굴꾼들이요?

보살

네... 저기... 그때 도굴꾼들이 썼던 장비들하고 짐들이
아직도 여기 남아 있다니까요..
갑자기 다 잡혀가고 뭐... 북으로 넘어간 사람들도 있었다나...

cut to 창고
창고 문을 열고 안으로 들어가는 보살과 김상덕.

김상덕

도굴은 결국 못한 거네요?

보살

시도도 못했다지요 아마...
높은 사람의 묘여서 그런지 경비가 삼엄해서 접근도 하기 힘들었대요.
지금까지도 여전히 사유지고...

창고 구석. 먼지 소복한 포대에 덮여 있는 여러 물건들.
낡은 포대를 슬쩍 들어보니 수십 개의 녹슨 철심들과 도굴 장비들.

보살

근데... 그 무덤은 왜 물어보십니까?

김상덕

...제가 오늘 그 무덤을 팠습니다.

38. 고성 군립병원_ 영안실 / 보국사 / 어느 국밥집. 오후

어두운 영안실 가운데 덩그러니 놓인 관.

그 앞에 다가서는 누군가.

그리고 그의 손에 들려 있는 장도리.

/ 보국사

김상덕을 바라보는 보살. 작게 웃으며 말한다.

보살

어째... 금은보화가 있던가요?

/ 영안실

푹! 관 뚜껑 틈으로 들어가는 장도리 날.

관리소장이다.

/ 어느 국밥집

비 오는 창가에서 허겁지겁 밥을 먹고 있는 고영근.

/ 영안실

관리소장은 주변을 살핀 뒤, 힘을 주어 관을 연다. 끼이익~

그때, 영안실의 문을 열고 들어오는 화림과 봉길.

봉길

어... 뭐 하시는...

끼이익~ 조금 더 열리는 관 뚜껑.

그 순간 '억...!' 짧은 숨을 내쉬며,

털썩~ 그 자리에 쓰러지는 화림. 놀라는 봉길.

그리고 겁먹고 서둘러 도망치는 관리소장.

39. 지방국도. 오후

비가 쏟아지는 도로를 달리는 김상덕의 차.

거칠게 움직이는 와이퍼. 급하게 운전하는 김상덕.

40. 고성 군립병원_ 응급실. 오후

응급실로 들어와 다급히 화림 일행을 찾는 고영근.

구석 침대에 기대어 링거를 맞고 있는 화림. 커피를 마시며 멍하니 앉아 있다.

그 옆에서 화림을 바라보는 봉길.

고영근

뭔일이여...

봉길

...뭐가 선생님을 지나갔어요...

고영근

뭐? 무슨 말이여 그게?

그때 고영근의 뒤로 도착하는 김상덕.
화림은 일행들을 바라보며 말한다.

화림

뭐가 나왔다고 거기서... 존나 험한 게...

핏줄이 터진 화림의 한쪽 눈.
그리고 주르륵 흘러내리는 화림의 코피.

41. 고성 군립병원_ 영안실. 오후

어두운 영안실 안에 덩그러니 놓여 있는 오래된 관.
그리고 그 관을 내려다보고 있는 고영근과 봉길 그리고 김상덕.
바닥의 장도리를 집어 드는 봉길.

봉길

열어보시죠. 누가 누워 있는지...

봉길은 푹~ 장도리 날을 관 뚜껑에 꽂는다.

그때 관 뚜껑을 누르는 김상덕.

김상덕

아니다. 열지 말자 봉길아... 약속한 거야.

김상덕을 바라보는 두 명.

김상덕

나도 궁금해. 이 사람이 무슨 옷을 입고 누워 있는지.
저 명정에 뭐라고 적혀 있는지.
근데 난 알아... 저기 미라가 누워 있어. 하나도 못 썩은...

봉길

...미이라요?

김상덕

그 땅이 그런 자리야...
100년 가까이 썩지도 못하고 이만 갈고 있었던 거야.

뒤에서 다가오는 화림. 관을 바라본다.

김상덕

그 기수네라는 스님이... 이 사람을 100년 동안 괴롭힌 거라고...

고영근

왜?

김상덕

...몰라. 누군진 모르지만 미웠나 보지...

관 모퉁이 유격에서 뚝뚝 새어 나오는 검은 물.

화림

그래서 그 냄새가 났어요... 한이 그득한 냄새...

화림을 바라보는 세 명.

화림

...귀신 나왔다고요...

42. 미국 박지용의 집_ 거실 / 아버지 방. 자정

한밤중. 쥐죽은 듯 조용한 박지용의 저택. 황량하다.
TV 소리가 들려오는 어두운 거실. 시계는 자정을 막 넘어가고.
소파에서 가운 차림으로 술을 마시고 있는 배정자.

/ 아버지 방

의자에 앉아 멍하니 창밖을 보고 있는 박종순.
칠흑같이 어두운 바깥. 흔들리는 나뭇가지.
박종순은 뭔가에 홀린 듯 입만 작게 움직이며 중얼거린다.

박종순

하... 아... 아버지... 우리 아버지...

어두운 창밖에 희미하게 보이는 누군가. 인자한 표정의 노인.

(박근현)

내 새끼... 문을 열어주렴...

천천히 손을 뻗어 창문을 조금 여는 박종순.

박종순

허... 아버지... 들어오셔요...

그때 창문에 비치는 어두운 방구석. 뭔가를 허겁지겁 먹고 있는 알몸의 실루엣.

겁먹은 듯 천천히 뒤를 돌아보는 박종순.

순간 그의 바로 옆으로 다가온 그의 아버지 박근현의 얼굴.

박근현

(귀에 대고 속삭이며)

여기는 젖과 꿀이 흐르는구나...

박종순

허... 아부지... 허...

호흡이 거칠어지는 박종순.

다시 반대편 귀에 속삭이는 박근현의 얼굴.

박근현

작고 총명하던 우리 강아지...

박종순

크헉헉...

박근현

니 아비는...

(으드득 이빨을 갈며)

춥고 배고프단다...

박종순

끄억... 죄송합... 끄어억...

거품을 물고 버둥거리며, 고통스러워하는 박종순.

그의 가슴에 손을 넣어 심장을 만지며, 작게 웃는 박근현.

박근현

흣... 흣... 흣...

43. 박지용의 집_ 거실. 자정

어두운 거실. TV에서는 미국 사교댄스 방송이 나오고 있다.

술에 취해 혼자 춤 연습을 시작하는 배정자.
살짝 풀린 잠옷 가운. 속옷이 보인다.
음악에 맞춰, 두 손을 들고 춤을 추는 배정자. 붉게 상기된 얼굴.
그때 그녀의 손을 잡는 누군가. 같이 춤을 춘다. 박근현이다.
술에 취한 채, 황홀한 표정의 배정자. 마치 꿈꾸듯 춤을 춘다.
거실을 돌고 도는 사교댄스. 알몸의 박근현.
요염한 표정으로 박근현을 바라보는 배정자.
순간 박근현의 눈은 검게 썩어버리고,
배정자의 코를 물어 뜯어버리는 박근현.

박근현

크아~

'꺄~' 거실에 들려오는 배정자의 비명.
어두운 거실. 바닥에서 버둥거리며 홀로 죽어가는 배정자.

44. 고속도로 / 프라자호텔 / 고성 군립병원_ 주차장 / 영안실. 밤

고속도로를 달리는 김상덕의 차.
다급한 표정으로 운전하는 김상덕.

(화림)

100년을 그 밑에서 그렇게 소리쳤는데... 아무도 꺼내주질 않았잖아요.
혼이 증오만 남았다고요... 지 핏줄들 전부 찾아갈 겁니다...
빨리 서울로 가보세요.

김상덕 누군가에게 계속 통화를 시도한다.

/ 프라자호텔 스위트룸

탁자 위에 보이는 마약을 한 흔적들.

징징~ 울리는 핸드폰 진동 소리.

욕실 욕조에 늘어져 있는 박지용.

/ 주차장

열리는 화림의 차 트렁크. 가득 들어 있는 무속용품들.

동아줄, 초, 향 그리고 징을 꺼내는 화림.

(고영근)

지금 여기서 혼 부르기를 한다고?

/ 영안실

무덤에서 가져온 다 썩은 붉은 명정.

고영근은 봉길의 몸에 명정을 감기 시작한다.

봉길

하… 이건 정말 하기 싫은데…

고영근

염병… 씨… 분위기 죽인다…

밖에 비 오고 관 뚜껑 열리고 귀신 나오고…

45. 성북동 저택. 밤

고급스러운 성북동 저택. 거실에서 가족들이 모여 저녁을 먹고 있다.
행복한 모습의 딸 내외와 아이들.
그 가운데 멍하게 앉아 있는 고모의 뒷모습.

사위

장모님... 어디 불편하세요?

고모

...

딸

지방에 갔다 오셔서 피곤하신가 봐요...

고모

...좀 쉬어야겠다.

자리에서 일어나는 고모.

46. 성북동 저택_ 고모의 방. 밤

고풍스러운 어두운 방. 침대에 멍하니 앉아 있는 고모.
웅~웅~ 창밖에서 들리는 바람 소리.
잠시 후, 탁탁~ 누군가 창문을 두드리는 소리가 들린다.

고개를 들어 창가를 바라보는 고모. 다시 들리는 소리 탁탁~
고모는 천천히 일어나 창가로 걸어간다.
뭔가에 홀린 듯한 표정의 고모. 유심히 창밖을 바라본다.

(박근현)

미자야... 우리 공주야... 문 좀 열어다오...

고모는 홀린 듯 천천히 손을 움직여 창문을 여는데,
그때 똑똑~ 방문을 노크하는 소리. 놀라 돌아보는 고모.
열리는 방문. 외손주들과 딸이 서 있다.

딸

자~ 할머니한테 배꼽인사~

외손주들

할머니 안녕히 주무세요~

멍하니 아이들을 바라보는 고모.
칠흑같이 어두운 창밖. 웅~웅~ 세차게 부는 바람과 흔들리는 나뭇가지.

47. 고성 군립병원_ 영안실. 밤

붉은 명정을 감고, 영안실 가운데에 서는 봉길.
고영근과 화림은 동아줄을 한 곳에 고정하고 봉길을 묶는다.

화림

...소주 한 잔 줄까?

봉길

괜찮습니다~

화림

정신 바짝 차려... 저번 파주에서처럼 안 온다고 오바하지 말고...
비우고 비우고...

무심히 고개를 끄덕이며 양말을 벗는 봉길.

화림

고 장로님은 타이밍 잘 맞추시고... 들어오면 바로 붙들어야 돼요.

영안실 가운데 기둥과 연결되어 동아줄로 묶여 있는 봉길.
화림은 초와 향에 불을 붙이고 자리를 잡는다.
반지하 영안실에 작게 울리는 징 소리.

Insert 도심 속에 보이는 프라자호텔로 카메라 점점 들어간다.

48. 프라자호텔. 밤

어두운 호텔 방. 그 위로 들려오는 화림의 나른한 주문.
욕조에 누워 있는 박지용. 알 수 없는 노인의 울음소리가 겹쳐진다.

떨리는 박지용의 눈꺼풀. 순간 그의 귀 옆에 보이는 누군가의 시퍼런 입.
갑자기 입을 벌려 비명을 지른다.

(소리)
으아악!

박지용
헉!

눈을 뜨는 박지용. 붉게 충혈되는 박지용의 눈.
그때 시퍼런 누군가의 손이 그의 뒤에서 목을 조른다.
첨벙~ 물속에서 자신의 목을 잡고 고통스러워하는 박지용.

박지용
억... 으윽...

검어진 물속에서 몸부림치는 박지용.
발악하며 다시 한번 잠에서 깨듯 몸을 일으킨다.

박지용
으헉!

조용한 호텔 방. 땀범벅이 되어 주변을 둘러보는 박지용.
욕실이 아닌 침대 위다. 전부 젖어 있는 몸.
그리고 탁자에서 징~징~ 계속 진동하고 있는 핸드폰.

49. 고성 군립병원_ 영안실. 밤

징~징~ 어두운 장례식장 복도에 울리는 묵직한 징 소리.
징을 치며 작게 경문(조상경)을 읊조리는 화림.
줄을 잡고 긴장한 표정으로 봉길을 바라보고 있는 고영근.
묶인 채 가만히 자신의 맨발을 바라보는 봉길.

50. 프라자호텔. 밤

천천히 걸어와 진동하는 핸드폰을 받는 박지용.

박지용

여보세요...

(김상덕)

김상덕입니다... 아무 일 없으세요?

박지용

네... 무슨 일이십니까?

그때 쿵쿵~ 누군가 호텔 방문을 두드린다.
의아한 표정의 박지용. 천천히 문으로 걸어가고,

(김상덕)

그게... 일이 좀 생겨서... 제가 지금 급하게 가고 있습니다...

쿵쿵쿵~ 계속 들리는 문 두드리는 소리.

박지용

무슨 일이지요? ...잠시만요... 누구십니까!

(문밖 김상덕)

저기요 사장님... 김상덕입니다.

문밖에서 들려오는 김상덕의 목소리.

놀라는 박지용.

(김상덕)

여보세요! 뭡니까? ...혹시 밖에 누가 왔나요? ...네?

박지용

아니... 그게... 김 선생님 지금 문밖에 계시나요?

(김상덕)

네? 아니요. 제가 아닙니다. 문 열지 마세요... 절대로...

(문밖 김상덕)

문 좀 열어주세요! 이거 벨이 안 되나...

저기 박지용 씨...! 안에 계시나요!

쿵쿵쿵~ 밖에서는 계속 문을 두드린다.

뒤로 물러나는 박지용.

(문밖 김상덕)

안에 계시나요? 문 좀 열어주세요!

어찌할 줄 몰라 당황하는 박지용.

(김상덕)

절대 문 열지 마시고... 가만히 계세요. 제가 지금 가고 있습니다.

박지용

...네...

(김상덕)

박지용 씨. 잘 들으세요... 지금... 할아버지가 오고 계십니다.

박지용

...할아버지가요?

(김상덕)

그리고... 할아버지가 당신을 지켜주실 거예요. 제 말을 들으세요...

쿵쿵~ 계속 들려오는 문 두드리는 소리와 김상덕의 목소리.

(김상덕)

지금 창가로 가서 창문을 여세요. 할아버지를 모셔야 합니다... 빨리...!

창가로 걸어가 머뭇거리는 박지용.

그러자 갑자기 소리치는 김상덕.

(김상덕)
문을 열라니까!

헉! 놀라 창문을 여는 박지용.
순간 펄럭이는 커튼. 확~ 들어오는 찬바람과 도시 소음.
그때 핸드폰에서 들려오는 김상덕의 숨소리.
점점 웃음소리로 바뀐다. '흐흐흐흐~'
동시에 천장에서도 들려오는 웃음소리.
소리가 나는 곳을 올려다보는 박지용.
천장 유리로 반사되어 보이는 누군가.
놀라는 박지용. 그때 바로 코앞으로 다가오는 박근현의 얼굴.

51. 고성 군립병원_ 영안실 / 프라자호텔. 밤

흔들거리기 시작하는 촛불과 향. 화림의 혼 부르기는 절정을 이룬다.
묵직하게 힘이 들어가는 봉길의 아킬레스 힘줄.
거친 숨을 내쉬며 화림을 바라보는 봉길.

/ 프라자호텔
철컥~ 직원과 함께 문을 열고 들어오는 김상덕.
멍하니 탁자에 올라서 있는 박지용의 뒷모습.
광화문 전경이 보이는 도심 야경을 바라보고 있다.

/ 고성 군립병원 영안실

계속되는 화림의 주문. 제자리에서 뛰기 시작하는 봉길.

긴장한 채 동아줄을 잡고, 봉길을 바라보는 고영근.

/ 프라자호텔

알 수 없는 표정의 박지용. 유심히 그의 얼굴을 살피는 김상덕.

그때 갑자기 팔을 창 쪽으로 뻗는 박지용. 제자리걸음을 시작한다.

탁. 탁. 탁. 마치 행진하는 군인처럼.

/ 고성 군립병원 영안실

제자리에서 미친 듯 뛰기를 계속하는 봉길.

격하게 흔들리는 초와 향.

/ 프라자호텔

탁자 위에서 행진하는 박지용. 그것을 바라만 보는 김상덕. 그 뒤에 직원.

힘차게 걸음을 걷던 박지용. 팔을 앞으로 더 내밀며 밖을 향해 소리친다.

박지용

장하도다. 반도의 청춘들이여!

수백 척의 비행기와 대포 소리가 들리는가!

전진하라. 황국의 아들들이여!

욱일기 빛나는 햇살에 은빛 총칼을 들어라!

순간 행진을 멈추는 박지용.

쏵~ 엄청난 피를 토해낸다.

/ 고성 군립병원 영안실

제자리에서 뛰던 봉길의 발. 자연스럽게 제자리걸음으로 바뀌고,
놀라는 화림과 고영근.
씩씩하게 팔을 앞으로 뻗으며, 군대의 행진을 하는 봉길. 이미 다른 사람이다.

화림

지금 잡아요!

멍하니 있던 고영근. 줄을 꽉 잡아당긴다.
제자리 행진을 하는 봉길. 손을 더 높이 치켜들고 앞을 향해 소리친다.

봉길

오오 자랑스럽도다. 천황의 청년들이여.
제국의 충성으로 북으로 기수를 들어라!
이제 너희의 흘린 피…
새로운 제국의 거름이요, 새로운 내일의 약속이라~

놀란 표정으로 봉길을 바라만 보는 화림과 고영근.

/ 프라자호텔

피가 흥건한 바닥에 주저앉아 있는 박지용. 부들부들 떨고 있다.
놀란 김상덕. 옆에 있는 직원에게 말한다.

김상덕

빨리… 구급차 좀 불러줘요… 빨리!

방을 뛰어나가는 직원.

/ 고성 군립병원 영안실

탁! 탁! 탁! 계속되는 봉길의 행진.

한쪽에서 동아줄을 당겨, 그의 움직임을 통제하는 고영근.

화림은 일어나 천천히 봉길에게 다가간다.

걸음을 멈추고, 화난 듯 거친 숨을 내쉬는 봉길.

화림

할배요... 거기 누구시오...

봉길 (박근현)

흐... 흐...

화림

봉길아 계속 잡아! ...할배요... 뭐가 그리 억울하시오. 네?

충혈된 눈의 봉길. 천천히 화림을 바라본다.

봉길 (박근현)

흐... 내 새끼들 전부 데리고 갈라고...

순간 켁~ 투명한 액을 한껏 토해내는 봉길.

고영근을 바라보는 화림.

화림

놓쳤어요...

고영근

화림아... 바로 화장해야 되겠다...

/ 프라자호텔

냉장고 앞에서 벌컥벌컥 물을 마시는 박지용.

김상덕

박지용 씨... 괜찮으세요?

바닥에 떨어지는 빈 물통.

알 수 없는 서늘한 표정의 박지용.

박지용

목이 마르다...

그때 급하게 호텔 방으로 들어오는 회계사.

피투성이 박지용을 보고 놀란다.

김상덕

지금... 조부님 관이 열렸습니다. 그래서... 좀 이상하게 들리시겠지만...

냉장고 옆 거울로 김상덕을 바라보는 박지용.

박지용

여우가... 범의 허리를 끊었다...

김상덕

...네...?

박지용은 천천히 고개를 돌리며 말한다.

박지용 (일본어)

狐が虎の腰を切った...

점점 목이 돌아가는 박지용.

놀라는 김상덕과 회계사.

기이하게 계속해서 돌아가는 박지용의 목.

누군가 잡고 돌리듯 목은 부들부들 떨리지만, 무표정한 그의 얼굴.

박지용

여우가 범의 허리를 끊었다고...

순간 우둑~ 목이 완전히 비틀어지는 박지용.

경악하는 김상덕과 회계사.

목이 돌아간 채 털썩 쓰러져 죽는 박지용의 기이한 모습.

'끼아악~' 뒤에서 비명을 지르는 호텔 직원.

어느새 들어와 있는 직원과 구급요원들. 경악한다.

놀라 뒤로 물러나는 회계사.

그 가운데 서 있는 김상덕. 거울 속에서 사라지는 박근현의 얼굴을 본다.

52. 고성 군립병원_ 주차장 / 프라자호텔. 밤

거세게 쏟아지는 비. 운구차에 들어가고 있는 관.

비를 맞으며 고영근을 바라보는 화림과 봉길.

그 옆에서 김상덕과 통화하는 고영근.

고영근

빨리 화장해야 댜... 이거 뭔지 알잖여. 줄초상이라고!

/ 프라자호텔

호텔 방으로 들어오는 경찰들. 시신을 수습하는 구급요원들과 직원들.

난리가 난 호텔 방. 넋이 나간 표정의 회계사.

그 너머에서 통화하는 김상덕.

김상덕

알아. 일단 빨리 출발해...! 허락은 내가 받아볼게... 서둘러...!

/ 고성 군립병원

전화를 끊으며 화림과 봉길에게 말하는 고영근.

고영근

출발...!

/ 프라자호텔

죽은 박지용을 멍하니 보고 있는 회계사.

다급하게 말하는 김상덕.

김상덕

지금 당장 화장해야 됩니다... 빨리 미국에 연락해보세요.

회계사

...네? 무슨 말씀이세요?

김상덕

보셨잖아요. 지금... 다음에는... 애가 위험하다고요...

53. St. Joseph Medical Center_ 병실 / 박지용의 집. 밤

쌔근쌔근 웃고 있는 아이. 평온한 병실.
아이를 바라보고 있는 박지용의 처와 보모.

박지용의 처 (영어)

Joseph's condition seems to be better today. Does it?
Anyways, I can not reach anyone at home.
So I will go back home and check.
애가 오늘은 좋아 보이네요... 집에 연락이 안 돼서 잠깐 갔다 올게요.

보모를 두고 병실을 나가는 박지용의 처.

/ 박지용의 집

전화벨이 울리는 황량한 박지용의 저택.
죽어 있는 배정자와 박종순의 모습.

54. 프라자호텔 / 성북동 저택. 밤

호텔 방. 상황을 수습하는 경찰과 구급요원들.

핸드폰을 들고 김상덕을 보는 회계사.

회계사

미국 집에서 전화를 안 받습니다...

김상덕

하... 그럼...

고민하는 김상덕.

/ 성북동 저택

어두운 고모의 방. 오래된 흑백 사진을 보고 있는 고모.

제복을 입은 박근현과 그 옆의 어린 딸.

그때 방 안에 핸드폰 벨소리가 울린다.

55. 지방도로. 밤

쏟아지는 비를 뚫고 달리는 고영근의 운구차.

흔들리는 차에 덜컹거리는 관.

다급히 운전하며 통화하는 고영근.

(화장장 관리인)

아이고 형님... 뭔 말이래요 지금.

고영근

이 사람아 급하니깐 그러는 거지...!

(화장장 관리인)

말이 되는 소리를 좀 해요. 갑자기 이 시간에...

고영근

근처여서 금방 가니께 쫌만 서둘러줘잉...

(화장장 관리인)

하... 글고 비가 이래 오는데 뭔 화장이래요... 상주는 뭐래요?

고영근

상주가... 지금 급사했으... 니 뭔지 알지...?

56. 성북동 저택 / 프라자호텔. 밤

떨리는 손으로 전화기를 들고 있는 고모.

혼란스러운 표정이다.

고모

...그게 무슨 말입니까... 지용이가 죽었다니요...

/ 프라자호텔 복도

실려 나오는 박지용의 시신. 분주한 복도.
회계사의 전화를 뺏어 말하는 김상덕.

김상덕

고모님 서두르셔야 합니다. 미국 아이한테... 아버님이 가고 있어요.

57. St. Joseph Medical Center_ 병실. 밤

아이를 안고 자장가를 불러주는 보모.
쌔근쌔근 웃으며 창밖을 바라보는 아이.
창가에 서 있는 허연 누군가. 환한 미소의 박근현.
아이는 박근현을 보고 웃으며, 안아달라는 듯 팔을 벌린다.
그리고 어느새 병실 구석에 서 있는 박근현.

58. 고성화장장. 밤

급하게 언덕을 올라가는 고영근의 운구차.
비가 쏟아지는 을씨년스러운 고성화장장.

cut to 화장장 기계실
기계를 조작하는 화장장 관리인.

화장장 관리인

기계 좀 데워야 해요. 좀 걸려요 잉. 구청에서 알믄 난리 난다...

(옮겨지는 관을 보며)

뭐예요 이거... 염도 안 했어? ...관째로 태울라고?

아무 말 없이 빠르게 관을 옮기는 세 사람.

59. St. Joseph Medical Center_ 병실. 밤

조용한 병실. 소파에 앉아 졸고 있는 보모.

침대에 누워 환하게 웃고 있는 아이.

그의 얼굴로 다가오는 박근현의 시커먼 혀.

마치 먹잇감을 바라보는 듯한 박근현. 슥~ 혀로 아이의 볼을 핥는다.

박근현은 침대 옆에 서서, 주먹을 쥐었다 폈다 한다.

박근현

훗. 훗. 훗

간헐적으로 출렁이는 심박동기의 그래프.

불편한 듯 버둥거리는 아이.

마치 심장을 쥐고 있는 듯, 손을 반복해서 움직이는 박근현.

박근현

훗. 훗. 훗

60. 화장 몽타주. 밤

/ 고성화장장

윙~ 드디어 돌아가는 화장장의 기계.

분화칸으로 들어오는 박근현의 관.

초조한 표정의 화림과 봉길.

점화 버튼 앞을 서성이며 김상덕의 전화를 기다리는 고영근.

/ St. Joseph Medical Center 병실

요동치는 심박동기 그래프. 잔인한 미소의 박근현.

울음을 터트리며 꿈틀거리는 박지용의 아들.

박근현

훗. 훗. 훗.

/ 프라자호텔 복도

전화기를 들고 고모의 대답을 기다리는 김상덕.

/ 성북동 저택

침착하게 말하는 고모.

고모

네... 알겠습니다. 화장하세요.

/ 고성화장장

고영근의 전화기에 들리는 김상덕의 목소리.

(김상덕)

...태워라.

바로 점화 버튼을 누르는 고영근.

확~ 박근현의 관으로 솟아오르는 불길.

화장장 관리인

하이고 팔자야... 좋은 데는 못 가것네...

아무 말 없이 불길을 바라보는 화림과 봉길.

/ 프라자호텔 후문

경찰차와 구급차로 가득한 호텔 뒤편.

복잡한 인파 가운데 보이는 김상덕.

구급차로 들어가는 박지용의 시신.

어디론가 전화를 하고 있는 회계사.

/ St. Joseph Medical Center 복도

귀찮은 표정으로 전화를 받고, 복도를 걸어가는 미국 간호사.

/ 고성화장장

활활 타고 있는 박근현의 관.

모니터로 불길을 보고 있는 화림과 봉길.

그리고 착잡한 표정의 고영근.

잠시 후, 노래를 부른다. '상여 노래'

고영근

길~ 떠난다~ 길~ 떠난다~ 길~ 떠난다~

고영근을 바라보는 봉길.

그리고 불길만 보고 있는 화림.

/ St. Joseph Medical Center 병실

증손자를 묘한 표정으로 내려보는 박근현.

그리고 점점 느려지는 그의 손동작.

박근현

훗... 훗...

(고영근)

~명사십리 해당화야 꽂진다 잎진다 설워마라 너어호 너어하~

/ 프라자호텔 후문

안쓰러운 표정으로 구급차 안의 박지용을 바라보는 김상덕.

그 위로 계속 들려오는 고영근의 구슬픈 노랫소리.

/ 고성화장장

활활 타는 박근현의 시체.

착잡한 표정의 화림과 봉길.

계속 노래 부르는 고영근.

그리고 같이 노래를 불러주는 화장장 관리인.

고영근 / 화장장 관리인

~너하넘차 너하호 북망산천이 그 어디메고 대문 밖이가 북망이라~

/ St. Joseph Medical Center 병실

병실 문을 열고 들어오는 간호사. 그제야 잠에서 깨는 보모.

다시 편안하게 웃고 있는 박지용의 아들.

무심한 표정으로 아이를 확인하는 간호사.

그때 뒤에서 핸드폰을 든 채 뛰어 들어오는 박지용의 처.

쌔근쌔근 다시 웃는 아이를 바라본다.

/ 고성화장장 밖

구슬픈 고영근의 노랫소리가 들려오는 을씨년스러운 화장장.

비 오는 밤하늘로 올라가는 화장장의 연기.

〈F.O〉

자막_ 며칠 뒤

(내비게이션)

경로를 이탈하였습니다. 새로운 경로로 안내해드리겠습니다.

61. 경기도 도로 어딘가. 오전

화면 열리면 어디론가 운전하는 김상덕의 뒷모습.

(고영근)

창민이 알지이... 그때 이장하고 많이 아프다고 그려...
좀 정리되면 형님이 한번 가봐...

도심 변두리. 허름한 연립주택으로 들어가는 김상덕의 자동차.

62. 시흥 연립주택. 오전

두꺼운 커튼으로 가려진 어두운 안방.
벌벌 떨며 고통스러워하는 창민. 겨우 몸을 일으키며 김상덕을 바라본다.

(창민)

병원에서도 모른대요. 하... 하... 그냥 검사만 하고... 돈만 쓰고...

하얗게 질려 있는 그의 얼굴. 그를 바라보는 김상덕.
창민의 두 눈은 이상하리만치 새빨갛게 충혈되어 있다.

창민

꿈도 험하고요... 하아... 몸이 베린 거 같아요.

김상덕

...무슨 말이야... 응?

창민

형님요... 저... 동티 난 것 같아요.

63. 지방국도. 오전

웅~ 빠르게 달리는 김상덕의 자동차.
의미심장한 표정으로 운전을 하는 김상덕.

(창민)
다른 게 아니라 그날... 이장 뒷일 하다가요... 뭘 봤는데요...

flash back 시흥 연립주택
허연 침을 고이며 말하는 창민의 입.

창민
...이상하게 생겼었어요. 뱀이...

김상덕
뭐? 뱀?

창민
흐흐흑... 씨발 그냥 둘걸...

흐느끼며 눈을 감는 창민. 눈에서 피눈물이 흐른다.

창민
형님... 부탁 하나만 할게요. 거기... 그 반 잘린 뱀 좀 찾아서...
치성이라도 좀 드려주세요... 흐흐흑...

안쓰러운 표정으로 창민을 바라보는 김상덕.

(창민)

흐흐흑... 거기 이상하게... 일하러 가기 싫더라고요... 흐흐흑...
거기... 정말 싫어요. 흐흑... 그런 데 왜... 묘가 있는지... 씨발...

64. 게이트. 낮

잠겨 있는 게이트. 주변을 둘러보는 김상덕.
퍽! 삽으로 자물쇠를 부숴버린다.

65. 묘 아래 공터. 낮

열리는 트렁크. 등산화로 갈아 신고 삽을 꺼내 드는 김상덕.
홀로 숲길을 올라간다.

66. 산 정상_ 묫자리. 낮

비가 와 마무리가 안 된 묫자리. 움푹 들어가 있다.
긴장한 표정의 김상덕. 몸에 소금을 뿌리고 구덩이로 내려간다.
멀리 숲속에서 모습을 보이기 시작하는 몇 마리 여우들.
그리고 들리기 시작하는 땅 파는 소리.
한참 땅을 파던 김상덕. 뭔가를 발견한다.

흙 속에 보이는 반 잘린 뱀.
이상하게 생긴 머리 부분. 머리털이 있다.
뱀의 머리를 자세히 보니, 혀를 내밀고 죽은 창백한 여자 얼굴 같다.
'헉!' 놀라 움찔하는 김상덕. 뱀을 집으려 땅에다 삽을 꽂는데,
쿵~ 들리는 둔탁한 소리.

김상덕

...!

삽을 뽑아 다시 땅에 꽂는 김상덕. 또다시 쿵!
김상덕은 땅을 파헤치기 시작한다.
주변에서 계속 짖기 시작하는 여우들.
미친 듯이 맨손으로 땅을 파는 김상덕.
잠시 후, 구덩이 속에서 모습을 드러내는 무엇.
오래된 나무 관이다.

김상덕

하... 첩장이다...

67. 의열 장의사 / 산 정상_ 묫자리. 낮

고영근

지금 좀 바쁘지... 여기 교회 사람들이랑 성경공부 하고 있는디...

고스톱판이 한창인 의열 장의사.

통화 중인 고영근을 바라보는 교회 사람들.

고영근

이잉? ...첩장이라고?

/ 묫자리

구덩이 밖에서 물을 마시며 통화하는 김상덕.

김상덕

바로 그 밑에라니까... 근데 고 장로... 수직으로 서 있는 관 본 적 있어?

구덩이에서 1/3 정도 모습을 보인 정체 모를 관. 수직으로 박혀 있다.

68. 강남 헬스클럽. 낮

신나는 음악이 나오는 헬스클럽.

덤벨을 들며 블루투스로 전화를 받는 봉길. 온몸에 보이는 한문 문신.

봉길

네. 선생님... 화림 선생님요? 지금 같이 있긴 한데...

헬스장 구석에 통유리로 된 스피닝 룸. 열심히 자전거를 타는 사람들.

그 가운데 보이는 화림. 밖에서 손짓하는 봉길을 쳐다본다.

69. 산 정상_ 묫자리. 오후

Insert 천천히 산에 걸쳐지는 붉은 태양.

어느새 같이 땅을 파는 김상덕과 고영근.
고영근은 이상한 듯 관을 바라본다.

고영근
하아... 하아... 이거 관이... 좀 크다...

마치 둘을 말리듯 계속 짖어대는 여우들.
손에 생긴 물집을 아파하는 김상덕.
반 정도 모습을 드러낸 관. 투박한 녹슨 쇠줄로 꽁꽁 묶여 있다.
그때 도착한 화림과 봉길. 놀란 표정으로 구덩이 안을 내려다본다.
지친 채로 화림을 올려다보는 김상덕과 고영근.
구덩이로 내려오는 화림과 봉길.

화림
아이씨... 샤워하고 왔는데...

관을 유심히 살펴보는 화림과 봉길. 녹슨 철끈을 만져본다.

봉길
이거... 밖에서 못 열게 해놓은 것 같은데. ...아니면...

고영근

아니면...?

화림

...반대겠죠...

잠시 침묵이 흐르는 구덩이 안.

밖에서 들려오는 여우들의 울음소리.

아무 말 없이 관만 바라보는 네 사람.

고영근

...상주한테 연락해야 하는 거 아니여?

봉길

일단 꺼내시죠... 집안사람일 텐데...

고영근

그려~ 일단 꺼내고 연락하자고... 돈 때문에 아직 할 얘기도 남았잖아.

화림

저희... 이거 건드리지 마시죠...

세 명은 김상덕을 바라본다.

잠시 고민하는 김상덕.

김상덕

일단 꺼내자... 봉길이 말대로 집안사람일 수도 있는데...
이 양반 여기 그냥 놔둘 순 없잖아.

화림

...

김상덕

봉길이는 차에서 로프 좀 가져와. 그냥 뽑자. 해 떨어진다...

cut to

관을 묶은 녹슨 철사에 등산 로프를 연결하는 남자들.
구덩이 밖에서 당겨지는 등산 로프.
화림의 눈앞에서 천천히 땅속에서 올라오는 정체 모를 관.
'으아아~!' 소리치는 세 명. 마지막 온 힘을 다해 줄을 당긴다.
땅속에서 한참을 뽑혀 나오는 관. 엄청나게 길고 크다. 쿵!
구덩이 밖 사람들이 아래를 보자, 3미터 정도의 거대한 목관.
놀란 표정으로 말을 잃은 네 사람.

고영근

...사람 관 맞어...?

도망치듯 숲에서 사라지는 여우들.

70. 능선길. 저녁

어두워진 산 아래. 꼬불꼬불 도로를 달리는 세 대의 차.
고영근의 운구차에 겨우 실려 있는 거대한 관.
그 뒤를 따르는 화림의 자동차.

화림
봉길아... 너 관 옆에 있을 때 뭐 느껴지는 거 없었어?

봉길
네... 이상하게 아무것도 안 느껴졌어요.

화림
...선생님 돌아가시기 전에 했던 말 기억나?

운전하며 화림을 바라보는 봉길.

화림
아무것도 안 느껴질 때가 제일 무서운 거라고...

두 명은 바로 앞에 가고 있는 거대한 관을 바라본다.

71. 지방국도_ 마을 입구. 저녁

다시 보이는 보국사 푯말.

앞서가던 김상덕의 차. 깜빡이를 켜고 마을로 들어간다.
김상덕 차를 따라 들어가는 운구차와 화림의 차.

72. 보국사_ 별채. 저녁

고요한 마을에 보이는 보국사.
컹컹~ 차들이 들어오자 짖기 시작하는 진돗개.
그리고 보국사 앞에서 일행을 기다리는 보살.
차에서 내린 김상덕은 보살에게 공손히 인사를 한다.

보살
...무슨 일이십니까?

김상덕
갑자기 연락드려 죄송합니다...
저희가 급하게 이장을 하게 돼서 하루만 신세 좀 지겠습니다.

보살은 김상덕 뒤의 커다란 운구차를 바라본다.

73. 보국사_ 마당. 저녁

끼이익~ 열리는 커다란 창고 문.
창고에서 짐들을 꺼내 공간을 마련하는 보살.
그리고 커다란 관을 차에서 겨우겨우 옮기는 김상덕과 일행들.

보살은 놀란 눈으로 거대한 관을 바라본다.

보살

이게... 도대체 뭡니까...

아무 대답하지 않는 네 사람.
보살에게 다가와 공손히 말하는 화림.

화림

저기 보살님... 죄송하지만 찹쌀이 좀 있을까요?

74. 보국사_ 창고. 밤

구석구석 지저분한 짐들이 쌓여 있는 창고 안.
가운데 덩그러니 놓인 관.
조심스럽게 관 주변을 둥글게 찹쌀로 봉인하는 화림.
오래된 나무. 살짝 안이 보이는 틈새. 거칠게 겹겹이 감아놓은 녹슨 철사.

화림

봉길아... 차에 가서 말 피 좀 가져와.

뛰어나가는 봉길.
그리고 화림을 바라보는 김상덕과 고영근.

화림

...좋은 건 아닌 거 아시잖아요...

김상덕 / 고영근

...

cut to

찹쌀과 붉은 말 피로 봉인된 거대한 관.

창고에 들어와, 그 모습을 보고 놀라는 고모.

(고모)

첩장이라니요... 저게 도대체 뭡니까...

75. 보국사_ 법당 안. 밤

소박한 법당 안에서 이야기하는 고모와 김상덕 그리고 화림.

김상덕

...알고 계신 거 전부 말씀해주십시오.

고모

(고개를 저으며)

모르겠습니다. 정말 모르겠습니다... 왜 거기에 저런 게 묻혀 있는지...
그리고... 왜 아버지의 묘가 그런 나쁜 곳에 있었는지도요...

김상덕

명정에 적혀 있었습니다. 중추원 부의장 후작 박근현.
부친께서 유명하신 분이더군요. 나라 팔아먹은...
그래서 그 스님이 부친에게 벌을 내리신...

고모

네 알고 있습니다... 그래서 더 모르겠다고요.

의아한 표정으로 고모를 보는 김상덕과 화림.

고모

그 기수네라는 스님. 한국 사람이 아니라... 일본 사람이었습니다.

김상덕

네?

화림

...일본 사람요?

고모

네 맞아요. 이름이 무라야마 준지라고 했습니다...

고모는 오래된 흑백 사진 하나를 꺼내 내려놓는다.
제복을 입은 박근현과 그 옆에 고모의 어릴 적 모습.
그 뒤로 나이 지긋한 사람들이 몇 명 서 있다.
사진을 유심히 바라보는 화림.

고모

조선 팔도강산을 다 꿰고 있다는 일본 스님이라 들었어요...
그런데 왜... 자신들에게 충성을 바친 아버지를 그런 곳에 묻었는지
이해가 되지 않습니다.

사진 속 제일 구석에 서 있는 기이한 분위기의 일본 스님. 날카로운 눈빛.
혼란스러운 표정의 김상덕과 화림.

76. 보국사 밖. 밤

고모를 배웅하는 김상덕과 화림 일행.

고모

미국의 아이는 괜찮다고 연락받았습니다.
지용이가 약속한 사례는 제가 준비해드릴 테니...
저 관은 그냥... 원래 자리에 다시 묻어버리세요.

떠나는 고모의 차.
그 위로 들려오는 봉길의 경문.

(봉길)

~여시아문일시불설구호신명제인질병도액경호궤합장~

77. 보국사_ 마당. 밤

마당의 낡은 드럼통. 불태워지는 반 잘린 뱀.

어두운 마을 속. 작은 불길이 보이는 보국사.

소지종이를 태워 올리며 도액경을 읊조리는 봉길.

봉길

~지망지액칠천불위호인신명액도탈갑인장군위아해제~

타고 있는 뱀을 말없이 내려다보는 네 사람.

화림은 불길한 눈빛으로 창고를 바라본다.

커다란 자물쇠로 굳게 잠겨 있는 창고.

김상덕

일 두 번 하게 해서 미안한데...

상주 쪽에서 말한 대로 내일 다시 갖다 묻자.

고영근

뭔 소리여? 그냥 군청에 유기 관이라 신고하고 가져가라 그려...

화림

태워버리시죠... 동트는 대로...

화림을 바라보는 고영근과 봉길.

아무 말 없이 불길만 바라보는 김상덕.

답답한 듯 김상덕을 바라보는 화림.

그리고 두 사람의 눈치를 보는 고영근과 봉길.

화림

아… 존나 따뜻한 아메리카노 먹고 싶다.

네 사람 사이로 정적이 흐른다.
잠시 후, 피우던 담배를 불 속에 던져 넣는 김상덕.

김상덕

그래. 아침에 일어나는 대로 태우자…

그때 뒤에서 다가오는 보살.

보살

안에 국수 좀 삶아놨는데… 몸들 좀 녹이세요.

78. 보국사_ 별채. 밤

밥상에서 따뜻한 김이 모락모락 올라오는 아늑한 별채.
허겁지겁 국수를 먹는 사람들.
심각한 표정으로 국수를 바라만 보고 있는 김상덕.

보살

부족한 거라도…

김상덕

뭔가 하나... 없어...

보살

무슨 말씀이신지...

고영근

(국수를 뱉으며)

쿨럭... 아... 국수가 잉... 막걸리네... 막걸려...

고개를 끄덕이며 국수를 마는 김상덕.

봉길

쿨럭... 저도 목에 막걸려요...

어이없는 표정의 화림. '으이구...' 봉길의 등짝을 때린다.
보살은 알았다는 듯 찬장에서 커다란 더덕주를 꺼낸다.

보살

법당이라... 이거밖에 없네요...

서로서로 잔을 채우고, 국수를 맛있게 먹는 사람들.
작은 방에 온기가 돈다.

Insert 달을 가리는 구름. 잠겨 있는 창고 열쇠.

79. 보국사_ 별채. 밤

별채에서 들려오는 누군가의 코골이 소리.

좁은 방에서 곯아떨어져버린 고영근과 봉길.

그리고 잠들기 전인 김상덕. 벽에 걸려 있는 호랑이 족자를 바라본다.

80. 화림의 차 안. 밤

차 안에 홀로 앉아 있는 화림.

초조한 표정으로 누군가와 통화 중이다.

화림

응... 무라야마 준지... 혹시 언니도 들어봤나 싶어서...

(오광심)

기억 안 나나? 전에 선생님이 가끔 얘기했잖아...

일본에 그... 여우 음양사...

화림

그래 맞다... 음양사 무라야마...

(오광심)

옛날에 선생님도 한 번 만났다는데...

주(呪)가 너무 쎄서 사람이 아니라 분명 여우 새끼라고...

니 그건 와? ...지금 어딘데?

화림

아니에요... 알았어요. 고마워 광심 언니... 또 전화할게요.

전화를 끊는 화림.

잠시 후, 누군가 곁에 있는 듯 말을 꺼낸다.

화림

할매요... 할매요... 나 기분이 이상해...

룸미러에 보이는 뒷좌석의 허연 누군가.

하얀 한복을 입은 할머니의 모습이 살짝 드러난다.

뭔가 불길한 표정의 화림. 무심히 담요를 덮고 눈을 감는다.

81. 보국사_ 법당 안. 늦은 밤

밤안개 자욱한 조용한 보국사.

붉게 빛나는 전기난로. 이부자리를 펴는 보살.

그때 쿵! 밖에서 들리는 소리. 그리고 컹! 컹! 진돗개 짖는 소리.

뭔가 이상한 느낌을 받은 보살. 그때 다시 쾅!

잠시 후, 보살은 문을 열고 밖으로 나간다.

텅 빈 법당. 홀로 돌아가는 전기난로.

82. 보국사_ 별채. 늦은 밤

깊이 잠들어 있는 김상덕과 고영근.
그 옆에 봉길. 가위눌린 듯 몸을 움찔거린다.
그때 들려오는 누군가의 중얼거리는 소리.
슬며시 눈을 뜨는 봉길. 자신의 위에 보이는 시커먼 누군가.
피투성이가 된 보살이 봉길의 위에 올라서서 몸을 밟고 있다.

보살
내간을빼갔어내간을...내간이없어내간을빼갔다고...
간이없어그놈이내간을...

봉길의 몸을 지근지근 밟으며 계속 중얼거리는 보살.
침착하게 다시 눈을 감는 봉길.

봉길
...씨발...

봉길은 힘겹게 손가락을 움직여 바닥에 '退'를 적는다.
그리고 심호흡과 함께 몸을 일으킨다. '으헛!'
땀범벅이 된 봉길. 가쁜 숨을 내쉰다.
그리고 벽에 걸려 있는 보살의 외투.

83. 보국사_ 법당 / 마당. 늦은 밤

법당 문을 열어 안을 살펴보는 봉길.
아무도 없는 법당 안. 혼자 돌아가는 전기난로.
겁먹은 듯 낑낑 소리를 내며 움직이는 진돗개.
뭔가를 느낀 봉길은 천천히 창고 쪽으로 걸어간다.
여전히 굳게 잠겨 있는 자물쇠. 다소 안심하는 봉길.
그때 마을 아래쪽에서 들려오는 이상한 소리.
봉길이 마을 쪽을 내려다보자, 멀리 보이는 돼지 축사.
꽥꽥~ 돼지들의 발광하는 소리가 들려온다.

84. 비닐하우스. 늦은 밤

부서진 비닐하우스를 지나 축사 쪽으로 걸어가는 봉길.
희미하게 불이 켜져 있는 축사. 점점 크게 들려오는 돼지들의 비명.

85. 돼지 축사. 늦은 밤

밖에서 조심스럽게 축사 안쪽을 훔쳐보는 봉길.
구석구석 도망치듯 몰려가는 돼지들.
그리고 가운데 피투성이가 되어 죽어 있는 열댓 마리의 돼지들.
그 너머 어두운 구석.
거대한 키. 사람 형체의 무엇. 미친 듯이 뭔가를 먹고 있다.

봉길

허억...

뒤로 물러나 보국사 쪽으로 뛰기 시작하는 봉길.

86. 화림의 차 안. 늦은 밤

불편한 표정으로 자고 있는 화림. 그때 똑똑!
차창을 두드리는 봉길. 놀란 화림은 몸을 일으키고,
다급한 표정의 봉길. 밖으로 나오라 손짓하고 창고 쪽으로 간다.
의아한 화림. 차 문을 열고 나가려는 찰나,
창백한 손이 그녀의 소매를 잡아끈다.
'화림아...' 작게 속삭이는 누군가의 목소리.
화림 놀라 돌아보니, 아무도 없다.
불안한 표정의 화림. 밖에 보이는 어두운 보국사의 모습.
잠시 후, 화림은 결국 차 밖으로 나간다.

87. 보국사_ 창고. 늦은 밤

창고 벽에 걸어놓은 열쇠로 자물쇠를 여는 봉길. 손이 덜덜 떨린다.
끼이익~ 열리는 창고 문.
안으로 들어가는 봉길. 악취에 얼굴이 일그러진다.

봉길

누린내가 심해요...

그의 뒤로 따라 들어오는 화림.
그들 앞에 보이는 건 산산조각이 나 부서진 관.
놀라는 봉길과 화림. 고개를 들어 관 바로 위 천장을 보니 구멍이 나 있다.

봉길

허...!

화림

봉인 때문에 위를 뚫었어...

봉길

그거 지금... 아래 축사에 있는 것 같아요.

화림

...빨리 사람들 깨워.

겁먹은 채 창고 밖으로 뛰어나가는 봉길.
창고에 홀로 남은 화림. 산산조각 나 있는 관으로 다가간다.
어둡지만 부서진 관 안에서 뭔가를 발견하고,
조심스럽게 물건을 집어 드는 화림. 먼지 소복한 일본 무사의 투구다.
그때 창고 문밖에서 들리는 인기척.
순간 화림의 목덜미에 돋는 소름.
놀라는 화림. 천천히 문 쪽으로 다가가는데,

문밖에 살짝살짝 보이는 뭔가의 그림자.
잠시 후, 갑자기 들려오는 기이한 일본말.

오니 (고대 일본어)

かんぬきが解けとる。...人がおるのか。

빗장이 풀렸구나. ...인간이 있느냐.

어쩔 줄 몰라 주춤하는 화림.
문밖에서 서성이는 거대한 무엇. 다시 들려오는 중성적인 목소리.

오니 (고대 일본어)

わしの星兜を取りに来たのじゃ... 人間おるか。

내 투구를 찾으러 왔다... 인간이 있느냐.

화림은 순간 바닥에 엎드려 절을 한다.
그리고 조심스럽게 대답하는 화림.

화림 (일본어)

いいえ、ちがいます。人間じゃありません。あなたさまの... 部下です。

아닙니다... 인간이 아닙니다. ...당신의... 부하입니다.

오니 (고대 일본어)

さようか... では、鮎とまくわをそのうておるか。

오호라... 그럼 은어와 참외를 대령하였느냐?

당황하며 아무 말 하지 못하는 화림.

오니 (고대 일본어)

おぬしは大名のことばが耳に入らんのか。

너의 다이묘의 말이 들리지 않느냐!

순간 화림의 앞으로 목이 잘린 사람 머리가 굴러온다.

오니 (고대 일본어)

敵将の首を獲ってきたのじゃ。

적장의 머리를 베어 왔단 말이다.

화림 (일본어)

ち… ちがいます。ちがいます。鮎を準備します。

오… 아닙니다. 아닙니다. 은어를 준비하겠습니다…

아무 대답이 없는 문밖. 조용해지는 주변.

조심스럽게 고개를 들어 밖을 살피는 화림. 아무것도 보이지 않는다.

천천히 몸을 일으키는 화림. 그때 화림의 뒤에 보이는 무엇.

천장에 난 구멍으로 고개를 내밀고 있는 오니.

오니 (고대 일본어)

人間じゃの。

인간이다.

일그러지는 화림의 표정. 순간 문밖으로 뛰는 화림.

지붕 위로 따라붙는 발소리. 쿵쿵쿵~

창고 문밖으로 넘어지며 몸을 던지는 화림.

순간 퍽! 오니의 앞을 가로막는 누군가. 봉길이다.
대형 장도리(빠루)로 붉은 오니의 가슴을 찌르고 있는 봉길.
무사의 갑옷을 입은 오니. 끄떡없다.
거대한 키. 검붉고 축축한 몸. 피가 묻어 있는 기이한 얼굴.
'크르르...' 들리는 오니의 소리.
기겁하며 바닥에서 뒤로 기어가는 화림.
오니의 묘한 검은 눈. 그리고 그것을 바라보는 봉길.
봉길의 가슴을 찌르려다 멈춰 있는 오니의 붉고 날카로운 손.
오묘하게 봉길을 바라보는 오니의 검은 눈.

화림

봉길아...

봉길

도망가... 우억!

순간 봉길의 옆구리를 비켜 찔러 뜯어버리는 오니.

봉길

으악...!

피가 터지며 쓰러지는 봉길.
'허어헉' 기겁하는 화림.
천천히 화림에게 다가가는 거대한 키의 붉은 도깨비.
화림 얼어붙은 채 벌벌 떨고,
그때 꼬끼오~ 들리는 닭의 울음소리.

어느새 검은 하늘은 남색으로 변해간다.
하늘을 올려다보는 오니. 알 수 없는 말을 내뱉는다.
그때 멀리 별채에서 달려오는 김상덕과 고영근.
광경을 보고 놀라 자리에서 멈춰 선다.
그리고 오니를 올려다보는 화림의 얼굴. 불길에 환하게 밝아진다.
불덩이로 변하며 하늘로 떠오르는 오니.
불똥이 되어 떨어지는 갑옷.

오니

쿠오오~

커다란 불덩이는 창고 위를 빙빙 돈다.
불덩이를 바라보고만 있는 김상덕과 고영근.
멍한 표정의 두 사람. 홀린 듯 입을 벌린 채 서 있다.

오니

쿠우우~

화림도 홀린 듯 불덩이 안을 바라보고,
그 속에서 자신의 두려운 순간들이 스쳐 지나간다.
피를 흘리며 바닥에서 꿈틀거리는 봉길.
눈앞에 다가온 불덩이 속을 바라보는 김상덕과 고영근.
그 속에 스쳐 지나가는 각자의 두려운 순간들.
한참을 불덩이를 바라보며 서 있는 세 사람.
잠시 후, 멀리 동이 튼다.

오니

크아아~

기이한 소리를 내며 멀리 산으로 날아가버리는 불덩이.
다시 고요해지는 보국사.
여전히 홀린 채 멍하니 허공을 보고 있는 김상덕과 고영근.
고영근의 입에서 침이 주르륵 흘러내린다.
정신을 차리는 화림. 자기 앞에 쓰러져 꿈틀거리는 봉길을 바라본다.
눈을 껌뻑이며 정신을 차리는 김상덕. 천천히 주변을 둘러보니,
옆에서 동공이 풀린 채 중얼거리는 고영근.

고영근

(아주 작게 중얼거리며)

...전파사3만5천원천일상조150만원갚고...충주고정규인집사50만원
햇빛다방김영자17만원미래에셋500빼서한국전력주식...

그리고 피투성이 봉길을 안고 소리치는 화림.

〈F.O〉

88. 돼지 축사. 오전

축사 안에서 발광하며 뛰어다니는 돼지 떼.
그 가운데 피투성이로 죽어 있는 열댓 마리의 돼지들. 투박하게 배가
뚫려 있다.
기겁하며 굳어 있는 경찰들과 축사 주인.

이른 아침 축사 밖. 모여 있는 동네 사람들.
그 뒤로 모습을 보이는 김상덕과 고영근.
식은땀에 얼굴이 하얗게 질려 있다.

경찰 1

소장님... 진짜로 배가 다 찢어졌는데요...

축사 주인

아니... 한밤중에 뭔 소리가 나긴 했는데요. 그때는 저도 그게...

파출소장

알았어요. 알았어. 좀 보께요...

그때 축사 안쪽에서 뭔가를 발견하고 놀라는 소장.
다가서는 경찰들의 다리 사이로 살짝 보이는 일꾼의 시체. 거의 반이 잘렸다.
웅성웅성 점점 모여드는 동네 사람들.

축사 주인

보소... 이거요. 간 빼 먹은 거래요. 간요...
이기 보통 짐승 짓이 아니래요...

그때 다른 경찰 한 명이 헐레벌떡 뛰어온다.

경찰 2

소장님, 소장님...! 시체예요, 시체. 또 있어요...!

89. 비닐하우스. 오전

시골길을 따라 몰려가는 경찰들과 사람들.
보국사와 축사 사이에 있는 비닐하우스.
김상덕은 그 옆 도랑에 흥건하게 흐르고 있는 피를 본다.
카메라 천천히 올라가자 배가 뜯긴 채로 죽어 있는 누군가. 보살이다.
참혹한 현장에 표정이 일그러지는 김상덕과 고영근.
경찰들은 어찌할 바를 모르고, 동네 사람들은 보살을 알아보고 경악한다.

파출소장

하... 이거...

경찰 1

이거요... 뭐 멧돼지 같은 건 아닌 것 같은데요...

축사 주인

보소 내가 계속 말했잖니꺼... 이거... 곰이래요. 곰 내려왔다니까요...

놀라 수군거리는 마을 사람들.
김상덕은 보살의 시체로 다가가 눈을 감겨준다.
경찰들은 김상덕을 시체에서 떼어내며 아우성치고,
그 너머 그의 모습을 바라보는 비참한 표정의 고영근.

90. 고성 군립병원_ 복도 / 응급실. 오후

수술실 앞 복도. 바닥에 흥건히 보이는 피.

대걸레로 피를 닦으며 지나가는 청소 아주머니.

복도 의자에 홀로 앉아 있는 화림.

피투성이가 된 자신의 손을 바라본다. 아직도 떨리는 그녀의 손.

/ 응급실

링거를 맞으며 누워 있는 김상덕과 고영근.

오한으로 오들오들 떨고 있다.

다가오는 간호사. 체온 체크를 하며,

간호사

...잘못 드신 것도 없다 그러셨죠?

멍하니 고개를 끄덕이는 고영근.

간호사

일단 두 분... 열이 안 떨어져서 해열제 조금 더 넣어드릴게요...

고영근은 식은땀을 흘리며 옆의 김상덕을 바라본다.

창백한 얼굴로 벽에 걸린 TV를 보고 있는 김상덕.

(TV)

~단풍이 절정인 가을의 끝자락에 산짐승 피해가 잇따르고 있습니다.

오늘 새벽 강원도 고성에서는 인명피해까지 발생하고 있어,

주민들이 공포에 떨고 있습니다.
군청 관계자에 따르면 이번에는 멧돼지가 아닌 야생곰의 소행~

/ 복도

급하게 뭔가를 들고 수술실로 뛰어 들어가는 간호사.
복잡한 심경으로 수술실을 바라보는 화림.
링거를 끌고 화림 옆에 앉는 김상덕.
말없이 같이 앉아 있던 두 사람. 잠시 후,

화림
...처음이었어요.

화림을 바라보는 김상덕.

화림
겁나서 가만있었던 적은...

김상덕
...

화림
봉길이... 야구 하다가 신병 걸려서 그만두고...
가족들한테도 버림당해서 선생님 찾아왔을 때...
무당하지 말라고 그렇게 말렸는데...
나랑 있으면 괜찮다고... 겁날 게 없다고 그랬는데 씨발...
내가 쫄아서 가만있었어요.

김상덕

미안하다... 내가 괜히 그걸 꺼내자고 해서... 보살님도... 봉길이도...

화림

발자국이 있었어요. 진짜 발자국... 그리고 그림자도...

김상덕

...

화림

무속에는요... 정설이 있어요.
혼은 불완전하고 귀는 육신이 없어서...
그래서 결국 사람의 온전한 정신과 육체를
절대 이길 수 없단 말이에요...

김상덕

...

화림

근데 그건... 완전히 다른 거예요... 원혼이 아니라... 정령이에요.
우리나라에는 절대 있어서는 안 될...

김상덕

...정령...

화림

사람이나 동물의 혼이 사물에 붙어 같이 진화한 거예요.
설마설마했는데... 하... 네... 아무것도 느껴지질 않았어요.
정체가 뭔지... 어디서 왔는지... 왜 그 박씨 집안 무덤에 있었는지.
아무것도 모르겠어요. 그래서 무서웠다구요.

그때 수술실에서 나오는 의사들과 간호사들.
자리에서 일어나는 화림과 김상덕.

노의사

복부 내장 쪽이 손상이 많아요. 피도 많이 흘렸고...
근데 문제는 척추에 손상이 좀 있어서... 흠...
빨리 큰 병원으로 보냅시다.

의료진은 피곤한 듯 사라지고, 간호사가 추가 사항을 화림에게 설명한다.
화림의 뒤쪽에 서 있는 김상덕.
병원 복도에 걸려 있는 커다란 액자를 바라본다.

(간호사)

~산짐승 피해시니 경찰서에도 꼭 신고하시구요... 앰뷸런스는 지금~

커다란 액자 앞으로 다가가는 김상덕. 웅장하고 아름다운 산맥 사진.
밑에 작게 적혀 있는 문구.
〈한반도의 척추 백두대간_ 2000년 1월 1일 강원산악회〉

91. 고성 군립병원_ 주차장. 해질녘

링거를 꽂은 채, 차에 타는 김상덕.

뒷좌석에 쌓여 있는 지도를 꺼내 펼친다.

지도의 어딘가를 손으로 짚으며, 뭔가를 깨달은 김상덕의 얼굴.

flash back 프라자호텔

(박지용)

여우가 범의 허리를 끊었다고...

cut to 주차장

부르릉~ 주차장을 떠나는 김상덕의 차.

덩그러니 주차장에 남아 있는 링거 폴대.

92. 보국사. 저녁

아무도 없는 어두운 보국사 앞.

차에서 내려 홀로 으슥한 보국사로 들어가는 김상덕.

조심스럽게 창고 쪽으로 걸어간다.

창고 문 앞. 아직도 흥건한 봉길의 핏자국.

살짝 열린 문 사이로 보이는 어두운 창고 안.

두려운 표정의 김상덕. 안으로 들어간다.

(보살)

~예전에 도굴꾼들 짐들이 아직도 창고에 남아 있다니까요~

창고 안. 손전등을 들고 창고 구석에서 뭔가를 찾고 있는 김상덕.
벗겨지는 먼지 자욱한 포대. 수십 개의 녹슨 쇠침들이 있다.
쇠침을 집어 들어보는 김상덕. 그리고 그 옆에 보이는 녹슨 곡괭이.
오래된 나무 손잡이에는 한자 이름들이 빼곡히 새겨져 있다.

김상덕

임병찬 양기탁 신팔균 양세봉 김학규 김지섭 송종익 민긍호....

그리고 바닥 구석에 보이는 낡은 책 한 권.
오래된 풍수지리 관련 책. 책장을 넘겨보니,
그 사이 껴 있는 오래된 흑백 사진 한 장. 열댓 명의 기념사진.
사진을 뒤집어보니 적힌 글씨 '나의 고향 우리의 땅 鐵血團'

김상덕

...철혈단...?

사진을 유심히 살펴보는 김상덕.
비장한 표정의 허름한 사람들. 그들 앞에 놓여 있는 쇠침들.

김상덕

그치... 도굴꾼들치고는 너무 비장해...

93. 서울 아산병원_ 봉길의 병실. 오전

도심 소음 속에 보이는 서울 아산병원.
복도에서 의료진들과 이야기를 마치고, 병실로 들어오는 화림.
조용한 병실. 의식이 없는 봉길.
가만히 그의 얼굴을 바라보는 화림. 안쓰럽게 얼굴을 쓰다듬는다.
순간 멈칫 손을 떼며 놀라는 화림. 무언가 이상한 낌새를 느낀다.

(화림)
~칠왈단원팔왈태연구왈영동소지즉길심중삼정하불호지~

봉길의 가슴에 놓이는 팥 주머니.

화림
~일왈태광이왈상령삼왈유정호지즉경오심번민육맥창량~

조용하게 경문을 마친 화림. 봉길의 눈을 뒤집어본다.
핏줄이 가득한 허연 눈동자.

화림
하... 봉길아 이 새끼야...

94. 묘 아래 숲길. 낮

보국사에 있던 녹슨 곡괭이와 삽을 들고,

홀로 숲을 올라가는 김상덕.

95. 산 정상_ 묫자리. 낮

다시 들리기 시작하는 땅 파는 소리.

홀린 듯 땅을 파며 구덩이 곳곳을 살펴보는 김상덕.

96. 서울 아산병원_ 봉길의 병실. 낮

침대에 누워 의식이 없는 봉길.

그를 보고 있는 임신한 무당 오광심(40대).

그 옆에 쪽머리를 한 어린 새끼무당 박자혜(10대 후반).

비닐봉지에서 수수떡과 돼지고기를 꺼내며 말하는 화림.

오광심

하... 뭔 일이고 이거...

화림

다행히 고비는 넘겼는데... 척추가 좀 다쳤대요...

오광심

걸을 순 있다드나...

화림

...이겨내야 한대요... 그래도 아재 건강하니깐...

오광심

니 도대체 뭐하고 댕기는 거야? 응? ...뭔데?

아무 대답 하지 않는 화림.

박자혜

언니... 아재한테 누린내가 나요...

화림

알어. 그래서 부른 거야... 우리 오랜만에 도깨비 놀이나 한번 하자.

화림을 바라보는 오광심.
그리고 겁먹은 얼굴의 박자혜.

화림

박자혜 뭐 하냐? ...문 잠가.

cut to

문을 잠그는 박자혜. 커튼을 치는 오광심.
화림은 낡은 부적 하나를 봉길의 가슴에 올려놓는다.
그리고 봉길과 떨어져 삼각형을 만드는 세 사람.
눈을 감고 각자 조용히 경문을 읊조린다.
잠시 후, 경문을 멈추고 먼저 말을 꺼내는 화림.

화림

워메~ 아지매들 겁나게 오랜만이요잉... 모두 다 오셨지라~

오광심

내 지금 막 왔다. 추수도 끝나고 날씨도 쌀쌀해지는데...

어째 다들 괘안나?

박자혜

아이고~ 다들 이렇게 모였는디~

어서 뭐 부침이라도 부쳐 갖고 와야 되것네~

빠른 속도로 합을 맞추며 대화하는 세 사람.

오광심

걱정을 마라...

내 그래가 수수떡이랑 돼지고기 한것 삶아 왔따 아이가...

화림

워디서 맛난 냄시가 솔찬히 풍겨분다 했는디 이잉~

넉넉허니 갖고 왔지라이~?

박자혜

음~청 가꼬 왔슈~ 서이 먹어도 남아불것네~

그때 작게 벌렁거리는 봉길의 코.

봉길의 슬쩍 반응을 살펴보고, 계속 얘기하는 세 사람.

화림

그라믄 저짝 너머 사는 장 서방이랑 제천댁도 함 불러야 되것는디...

오광심

뭐하러 바쁜 사람들을 불러쌌노...

그냥 조용히 우리끼리 응? 마시께 묵으며는...

봉길

...그래 우리끼리 먹자고... 혹시 은어도 좀 잡아 왔는가...

순간 들려오는 봉길의 목소리.

노련하게 봉길을 흘겨보는 오광심. 그리고 놀라는 박자혜.

오광심

뭐고...? 어데 윤 서방이 온 거 같은데...

화림

아따... 뭔 소리요? 윤 서방 야그 못 들어브렀소?

박자혜

글쥬~ 윤 서방이 왔을 리가 없쥬~

오광심

다들 그기 뭔 소리고. 빨랑 말 안 하나...?

화림

말도 말랑께요. 거시기 어디서 겁나게 험한 걸 만났다고 그라든디?

오광심

뭐라꼬? 뭘 얼매나 험한 걸 만났길래

그라고 옴팡지게 앓아누웠단 말이고... 쯧쯧.

박자혜

모르는 겨? 그... 밤중에 손님을 만났대유~

봉길

후훗... 뭔 소리야...

오광심

거기 윤 서방... 뭘 그래 봤는데 그래 쫄아가 누워 있노...?

봉길

흐흐...

박자혜

워~ 이 양반 멀쩡해 보이는디~

천천히 봉길에게 다가가는 화림.

긴장한 표정으로 화림과 봉길을 바라보는 두 무당.

화림

누구여라... 거시기 만났다는 손님이... 언능 쪼까 말해보쇼.

봉길

...주.인.님.

오광심

주인님? ...어떤 주인님?

봉길

...흐흐...

손을 들어 자기가 계속 말한다고 신호하는 화림.

화림

(봉길의 귀에 대고 속삭이듯)

빨리 말해 씨벌놈아...

눈을 뜨는 봉길. 핏발이 선 허연 눈동자.

멍하니 앞을 보며 외치듯 소리친다.

봉길 (고대 일본어)

万人を切り殺し、神になられた我が殿よ!

나의 주인님. 만 명을 베어 신이 된 분이다!

화림 (일본어)

その殿さま今どこにいらっしゃるの?

그 주인님... 지금 어디 계시는데...

봉길 (고대 일본어)

三八三四一七 一二八三一八九... 三八三四一七 一二八三一八九...

守りておられる、将軍じゃ。

삼팔삼사일칠 일이팔삼일팔구... 삼팔삼사일칠 일이팔삼일팔구...

흐... 흐... 그곳을 지키는 장군이시지... 하아... 하아...

놀라 봉길을 바라보는 세 사람.

봉길 (고대 일본어)

殿! ご覧くださりませ...! それがしがここに。

殿になりとうござりまする!

저를 봐주십시오...! 제가 여기 있습니다. 당신의 몸이 되고 싶습니다!

흥분해서 말하는 봉길. 곧 천천히 세 사람을 훑어본다.

오광심의 배를 노려보고 작게 웃으며,

봉길

하아하아... 그 고기를 꺼내드릴 거야... 하아하아...

오광심

...

떨리는 손으로 배를 가리는 오광심.

그리고 겁먹은 채 뒤로 물러나는 박자혜.

봉길은 허연 눈으로 박자혜를 바라본다.

봉길

꼬마야... 오늘밤에 손님 간다... 흐흐흐... 니들 다 죽어...

그때 봉길의 가슴에서 부적을 집어 드는 화림.

바로 눈을 감고 의식을 잃는 봉길.

박자혜는 재빨리 화림에게 부적을 받아 와,

라이터로 불을 붙여 빈 컵에 집어넣는다.

겁먹은 얼굴로 봉길을 바라보는 세 사람.

97. 산 정상_ 못자리. 오후

땀범벅인 김상덕. 뭔가를 찾는 듯 구덩이를 헤집는다.
여기저기 파헤쳐놓은 구덩이 안. 그러다 갑자기 구덩이 한쪽 면의 흙이 무너지자, 땅속에 살짝 보이는 무엇. 자세히 보니 누군가의 어깨다.
순간 흙이 더 무너지며 살짝 드러나는 오니의 얼굴.

김상덕

허헉...!

뭔가를 보고 놀라 뒤로 넘어지는 김상덕.
김상덕을 노려보듯 눈을 뜨고 있는 오니.

98. 서울 아산병원_ 봉길의 병실. 오후

서둘러 짐을 챙기는 오광심. 복잡한 표정이다.

오광심

화림아... 이거 하지 마라. 일본 귀신이야...

화림

...알고 있어요.

오광심

아무 관련 없어도 그냥 죽인다고... 알잖아... 근처에만 가도 다 죽여...

겁먹은 채 가만히 있는 박자혜.

오광심

니 예전에 일본에서 못 봤어? 근처에 얼씬도 하지 마라. ...알았나?

화림

...

짐을 챙겨 병실을 나서는 오광심과 박자혜.

오광심

아무리 니 할매가 니 옆에 있어도... 이건 안 된다.... 자혜야 가자.

화림

...그럼 봉길이는요?

아무 말 없는 오광심. 화림의 시선을 피한다.

화림

광심 언니... 오늘 둘 다 동티 풀고 눈 가리고 자... 혹시 모르니...

병실을 나가는 두 사람.

조용한 병실에 홀로 남아 있는 화림.

복잡한 표정으로 봉길을 바라본다.

99. 의열 장의사. 저녁

놀란 표정의 고영근.

흙투성이 등산화를 신고, 허겁지겁 짜장면을 먹는 김상덕.

고영근

정말 그게 그 밑에 있다는 거여...?

김상덕

...

고영근

원래 있던 데로 갔다는 거네... 흠... 근데 거기는 왜 또 간 거여...? ...잉?

김상덕

...

고영근

아 뭐라 말 좀 해봐 진짜...

천천히 입을 닦고 물을 마시는 김상덕. 아직도 멍한 그의 눈빛.

flash back 묫자리

구덩이 위로 기어 올라오는 김상덕.

미친 듯이 다시 흙을 덮는다.

흙으로 다시 덮이는 오니의 얼굴.

cut to 의열 장의사
떨리는 손으로 담배를 피우는 김상덕.
짜증 나는 듯 투덜거리며 창문을 여는 고영근.

김상덕
박지용 그 사람이 죽기 전에 그러더라고...

고영근
...

김상덕
...여우가 범의 허리를 끊었다...

고영근
그게 무슨 말이여...

김상덕
우리 풍수에서는 한국 땅이 호랑이야... 대륙을 붙잡고 있는 범.
그리고... 거기 묘비에 새겨져 있던 숫자. 위경도... 어디겠어?

고영근
하...

김상덕
맞아 거기... 정확하게 범의 허리야...
화림이가 말한 그 여우 음양사... 그 여우 새끼가... 거기다가 꽉!

100. 서울 아산병원_ 봉길의 병실. 밤

탁! 김상덕이 탁자 위에 펼쳐진 지도에 과도를 꽂는다.

김상덕

대빵만 한 쇠침을 박았다는 거지...

칼이 꽂힌 지도를 바라보는 화림.

화림

...그럼 거기 미국 박씨 집안 묘는 뭐예요?

김상덕은 보국사에서 가져온 철혈단 사진을 꺼낸다.

김상덕

여기 이 누추하게 생긴 사람들이... 그런 거 자꾸 뽑고 다니니깐...
당시 최고 높은 사람의 묘로 그 위를 덮어 버린 거야.
접근도 못하게...

고영근

아니 이 사람아... 그 절에서 못 봤어?
거기 쇠침들 전부 토지 측량용이잖아. 잘 알잖여...
전에 학회에서도 그런 거 전부 99프로가 가짜라고...

김상덕

그럼 1프로는...

고영근

...

김상덕

하나라도 있을 수 있잖아. ...안 보여? 여기 뭔가 치밀하다고...

'하...' 한숨을 쉬는 고영근.

침대로 돌아가 봉길을 바라보는 화림.

고영근

...그럼 거기 귀신은 뭐여?

화림은 봉길을 바라보며 뭔가를 떠올린다.

화림

그곳을 지키는 장군이라 했어요...

화림을 바라보는 김상덕과 고영근.

화림

...그게 쇠침을 지키고 있는 거예요.

김상덕 / 고영근

...

침묵이 흐르는 병실.

철혈단 사진을 바라보던 김상덕.

김상덕

이화림이... 우리 비즈니스 관계지만... 돈 안 되는 부탁 하나 하자.

자리에서 벌떡 일어나는 고영근.

고영근

어허... 거 혹시 쓸데없는 생각 하고 있으면 말도 꺼내지 말어...

김상덕

고 장로... 나는 그 쇠침이 땅의 정기를 끊었다느니...
한반도를 반 토막 냈다느니...
그런 말 그렇게 믿지도 않고 상관도 없어. 근데...

고영근

봉길이 안 보여? 또 줄초상 난다고...
하... 우리 김 풍수... 애국자네 애국자...

김상덕

아니야. 아니야... 애국이니 뭐니 좆까라 그러고... 음... 땅이야. 땅...

고영근

...

김상덕

내가 평생을 벌어먹고 집사람이랑 딸내미랑 비비고 산 여기...

내가 살았고 또 니들이 살고 있고...

그리고 또 누군가 여기서 계속 살아갈 텐데...

봐... 난 그냥 땅쟁이잖아...

근데 씨발 누가 와서 여기다가 이상한 거 박아놨다 하니깐...

기분이... 흠...

두 사람을 진지하게 바라보는 김상덕.

김상덕

...그냥 못 지나가겠는데...

고영근

하...

화림을 바라보며 부탁하는 김상덕.

김상덕

화림아 정령이라면서... 니가 말한 대로 그게 쇠에 붙은 귀신이면...

김상덕을 바라보는 화림.

탁자에 꽂힌 과도를 뽑으며 말하는 김상덕.

김상덕

우리가 그거 뽑자... 쇠침이 없어지면 그것도 없어지겠지...

그럼 봉길이도 구할 수 있는 거고...

구석에 서서 화림을 바라보는 고영근.
그리고 봉길을 바라보며 고민하는 화림.

flash back 일본 어딘가
오래된 고목 뒤에 서 있는 화림의 선생님 윤희순(60대)의 뒷모습.
그리고 고목 앞쪽에 기모노를 입힌 커다란 빗자루가 세워져 있다.
주변에서 구경하는 일본 사람들.
고목 뒤에서 윤희순은 방울을 들고 뭔가를 소리치고,
그 뒤에 보이는 긴장한 표정의 젊은 화림(20대).

cut to 봉길의 병실

화림
(작게 중얼거리며)
영처럼 타이르고 짐승처럼 다룬다...

다소 불안한 눈빛으로 두 사람을 바라보는 화림.

화림
미안한데... 그 귀신... 우리가 없앨 수 있는 그런 게 아니에요.

김상덕 / 고영근
...

화림

...없앨 수는 없는데... 근데... 잠깐 밖으로 나오게는 할 수 있어요.

김상덕

그래... 그럼 그때 우리가 그거 뽑아 올게.

김상덕을 바라보는 고영근.

그때 경련을 일으키는 봉길.

cut to

의료진이 와서 봉길을 체크한다.

안쓰러운 표정으로 그 모습을 지켜보는 세 사람.

화림

어... 잠깐만요. 간호사님...

간호사가 봉길의 붕대를 다시 풀자, 온몸을 휘감은 한문 문신.

상처가 난 옆구리 쪽은 문신이 없는 곳이다.

flash back 보국사

봉길의 배를 찌르려다가 주춤하는 오니의 손.

cut to 봉길의 병실

화림

문신을 피해 갔네...

고영근

문신?

화림

저거... 축경이에요.

이상하다는 듯 세 사람을 쳐다보는 간호사와 의사.

Insert 광활한 백두대간의 산맥들. 그 위에 들리는 차 소리.

101. 산 아래 도로 갓길. 오후

덜컹거리는 트렁크 안. 투명한 비닐 박스에 보이는 수십 마리의 은어.
그리고 차 안에 뒷모습으로 보이는 세 사람.
도로 옆에 서 있는 군청 차량과 군용차.
그리고 도로를 막고 있는 바리케이드.
손을 흔들어 김상덕의 차를 세우는 군청 직원.

군청 직원

죄송합니다~ 지금 근처에 산짐승 피해가 있어서... 어...

놀라는 군청 직원의 표정.
차 안의 세 사람. 얼굴에 빼곡히 한자가 적혀 있다.

군청 직원

어... 어디 가시는 길이신지...

고영근

저희 반대편 선산에 벌초를 좀 해야 되는디...

군청 직원

아... 네... 며칠 동안 저쪽 산부터 군부대가 같이 수색 중이어서요...

김상덕

참~ 고생 많으십니다... 저희는 조심히 갔다가 금방 내려오겠습니다...

인사를 한 뒤, 출발하는 김상덕의 차.
떠나는 그들을 의아하게 바라보는 군청 직원과 군인들.

102. 산 정상_ 묫자리 / 묘 아래 숲길_ 주목. 해질녘

움푹 들어가 있는 묫자리.
아래를 내려다보고 있는 김상덕.
잠시 후, 은어 한 마리를 꺼내 무덤에 던진다.
그리고 한 마리씩 바닥에 던져놓는 김상덕.

/ 묘 아래 숲길_ 주목

고영근도 듬성듬성 숲길에 은어를 던져놓으며 걸어간다.
그 앞 조금 떨어진 곳에 보이는 커다란 고목.

/ 주목

커다란 주목(산에서 가장 오래된 나무)을 올려다보는 화림.
죽어서 잎은 없지만, 굵은 가지들이 옆으로 뻗어 웅장해 보인다.

Insert 쿠구구~ 노을 진 하늘을 지나가는 전투기 두 대.

103. 묘 아래 공터. 해질녘

멀리 건너편 산에서 철수하는 군인들과 군청 직원들.
그 모습을 바라보며 통화 중인 김상덕.

김상덕
뭐하러 여기 와서 살어? 다들 못 나가서 안달인데...

(아내)
몰라... 그쪽에서도 그렇게 얘기 중이래... 좋으면서 그런다...

김상덕
허허허... 우리야 손자 키우고 좋지...

(연희)
김상덕 씨... 많이 바쁜가 봐? 딸내미 결혼식은 오겠나?

차가 있는 곳으로 걸어가는 김상덕.

김상덕

돈 벌고 있지 인마... 흐흐... 빨리 넘어갈게...

(연희)

요즘 무슨 일 하는데? ...건물 자리 잡아줘요?

김상덕

그런 거 아니고... 음... 보물 캐고 있지...

(연희)

보물? 오... 그럼 혼수로 아파트 하나 해주겠네... 멋진데 김 풍수...

김상덕

응? 그럼... 그래... 준비 잘하고... 엄마 좋은 데 구경 좀 시켜줘라...

전화를 끊는 김상덕.

차에서 삽과 곡괭이를 꺼내는 고영근.

화림

주목 나무까지만 유인하면... 제가 할 수 있을 만큼 시간 끌어볼게요.

고영근

딱 30분만 버텨... 우리가 금방 뽑아 올 테니까느...

그리고 말 피가 든 통을 내려놓는 화림.

화림

그리고 쇠침을 꺼내면... 바로 이 말 피에 씻어버리는 겁니다.

붉은 피가 든 통을 바라보는 김상덕과 고영근.

화림

김 선생님... 쇠침 그거... 진짜 있겠지요?

김상덕을 바라보는 두 사람.

김상덕

...100퍼센트...

104. 서울 아산병원_ 봉길의 병실. 저녁

조용한 병실 복도. 봉길의 병실 앞을 지나가는 간호사 한 명.
병실 문 앞에 어색하게 서 있는 박자혜.
간호사가 무심히 지나치자, 슬쩍 병실로 들어가 문을 잠근다.
병실 문 밖에 적혀 있는 붉은 글씨, '塡'
병실 안. 가만히 누워 있는 봉길.
침대 밑에서 봉길의 발바닥에 글씨를 쓰고 있는 오광심.

(화림)

언니. 오늘 봉길이 좀 봐줘요... 일이 틀어지면 봉길이가 위험해요...

그리고 병실 구석. 포대 안에서 움직이는 무엇.

105. 산 정상_ 묫자리 / 주목 / 봉길의 병실. 밤

어두워진 산. 천천히 달을 여는 구름.
움푹 들어간 묫자리. 그 위에 놓인 은어 한 마리.

/ 묫자리 근처 숲
멀리 숲속에 숨어 있는 김상덕과 고영근.
숨을 죽이고 묫자리 쪽을 훔쳐보고 있다.

/ 봉길의 병실
지루한 듯 병실에 앉아 있는 오광심과 박자혜.

박자혜
임산부는 커피 마시면 안 되는데...

오광심
디카페인이다...

병실을 돌아다니는 닭 한 마리.

박자혜
언니... 애 안 죽였으면 좋겠다...

오광심

아재 대신 죽는 거야. 그리고... 니 교촌 잘 먹으면서 왜 그러냐...

말없이 봉길을 바라보는 박자혜.

오광심은 하품하며 시계를 본다. 새벽 1시가 거의 다 되어간다.

/ 묫자리 근처 숲

쪼그리고 앉아 눈을 감고 있는 고영근.

옆에서 입김을 내뱉으며 손을 녹이는 김상덕.

반대편 나무 뒤에서 무덤 쪽을 훔쳐보고 있는 화림.

한참 후. 나무에 있던 올빼미 한 마리. 퍼드득~ 도망치듯 날아간다.

그때 구덩이 안 바닥에 놓인 은어.

바로 옆 흙이 조금씩 움직이기 시작하더니,

검붉은 오니의 손이 땅에서 나와 은어를 집어 간다.

/ 봉길의 병실

가만히 누워 있던 봉길. 감고 있는 눈. 눈알이 움직인다.

오광심과 박자혜는 천천히 일어나 그 모습을 지켜본다.

갑자기 '스읍~' 깊게 숨을 들이마시는 봉길.

/ 묫자리

드디어 천천히 땅에서 올라와 모습을 드러내는 8척의 일본 도깨비.

놀라는 김상덕. 어느새 옆에서 입을 벌린 채 그 모습을 보고 있는 고영근.

김상덕 / 고영근

허...

멀리 반대편에서 그 모습을 바라보던 화림. 숲으로 뛰어 들어간다.

/ 주목

나무에 도착한 화림. 준비된 쑥에 재빨리 불을 붙이고.

메케하고 자욱한 연기가 피어오르는 쑥.

화림은 고목 옹이구멍마다 연기 나는 쑥을 집어넣는다.

/ 묫자리

천천히 일어나는 오니. 앞에 듬성듬성 놓여 있는 은어들을 바라본다.

그 모습을 숨죽여 훔쳐보는 김상덕과 고영근.

잠시 후, 오니는 은어들을 하나씩 집어 먹으며 숲 안으로 들어간다.

/ 봉길의 병실

눈을 뜨는 봉길. 핏발이 선 허연 눈. 뭔가를 바라보듯 멍하니 앞을 본다.

106. 주목 / 산 정상_ 묫자리 / 봉길의 병실. 밤

산짐승 소리가 들려오는 어두운 숲속. 그 위로 올라오는 하얀 연기.

거대한 고목의 크고 작은 옹이구멍마다 연기가 피어 나온다.

굵은 고목 뒤에 숨어, 앞쪽 어두운 숲길을 훔쳐보는 화림.

숲길 바닥에 듬성듬성 놓여 있는 은어들.

천천히 숲속에서 모습을 드러내는 붉은 형체.

은어를 하나하나 씹어 먹으며 걸어오고 있는 오니.

긴장한 표정의 화림.

거의 마지막 은어를 집어 든 오니. 앞에 보이는 거대한 고목을 바라본다.

하얀 연기가 고목을 휘감으며 올라가, 기이한 모습을 만들고 있다.
은어를 씹으며 고목을 올려보는 오니.
잠시 후 화림은 나무 뒤에서 작게 말한다.

화림 (일본어)
たらふく召し上がりましたか?
배불리 드셨습니까?

아무 대답하지 않고 짐승이 고기 씹는 소리만 들린다.

화림 (일본어)
…わしの山が物騒がしいです。
…나의 산이 소란스럽습니다.

오니 (고대 일본어)
…この山は翁の山か?
…이 산이 노인의 산인가?

마치 흰 수염이 있는 나무와 붉은 짐승이 대화를 나누는 듯한 모습.

/ 묫자리
장비들을 챙겨 구덩이로 달려가는 김상덕과 고영근.
곧장 삽을 구덩이에 던지고, 뛰어내린다.

/ 봉길의 병실
태연히 앞을 보며 말하는 봉길.

봉길 (고대 일본어)

くそったれの木のじじいじゃのう…

빌어먹을 나무 노인이군…

/ 주목

나무 뒤에서 계속 말하는 화림.

화림 (일본어)

そうです。ここはわしの山です。

그렇습니다. 여기는 나의 산이지요.

오니 (고대 일본어)

なぜ故、銃や刀の音が聞こえんのじゃ？

그런데 왜 총포 소리와 칼 소리가 들리지 않느냐?

화림 (일본어)

それはちがいます。すでに戦争が終わって久しいです…

그것은 아닙니다. 이미 전쟁이 끝난 지 오래입~

오니 (고대 일본어)

否! まだわしらのいくさは終わっておらぬ!

아니…! 아직 우리의 전쟁은 끝나지 않았다!

/ 봉길의 병실

'크르르…' 비웃는 봉길.

그리고 그를 유심히 살피는 오광심과 박자혜.

/ 주목

연기가 휘감아 올라오는 거대한 나무. 그 앞을 서성이는 오니.

화림 (일본어)

あなたは... なぜここにいるんですか。

당신은... 여기에 왜 있는 겁니까.

주변 곳곳에서 들려오는 오니의 목소리.

오니 (고대 일본어)

クルル... かの狐が大徳におったワシをここへ移したんじゃ、

ワシを南山の神宮ではなく、ここへ連れてきたんじゃ。

カタヒトの一族の仕業であろう。

크르르... 그 여우가 다이토쿠에 모셔져 있던 나를

남산의 신궁이 아니라 여기로 데리고 왔단 말이다.

...가타히토의 자식들이 시킨 거겠지...

/ 봉길의 병실

봉길 (고대 일본어)

さもなくば、まことのしわざか...

아마도 마코토의 짓이거나...

/ 주목

앞쪽을 몰래 훔쳐보는 화림. 오니의 모습은 보이지 않는다.

당황하는 화림. 하지만 계속 말을 건다.

화림 (일본어)

もうここは静寂の地だ。もうお前らのいる所じゃない...

이제 여기는 고요의 땅이다. 너희가 더 이상 있을 곳이 아니다...

오니 (고대 일본어)

ちごう、ちごうておる。わしらは引き続き北へ向かわねばならん。

備えを持ち前進せい! 北へ... 北へ...

오... 아니다. 아니다. 우리는 계속 북을 향해야 한다.

절대 포기하지 않을 것이다.

총칼을 들고 전진하라! 북으로... 북으로...

/ 봉길의 병실

봉길 (고대 일본어)

勇猛なムカデは断じて退きはせん... 前進せよ! 北へ... 北へ...

용맹한 지네는 절대 뒤로 물러나지 않지... 전진하라! 북으로... 북으로...

/ 묫자리

미친 듯이 땅을 파고 있는 김상덕과 고영근.

김상덕

뭐지... 허... 아무것도... 안 나와...

당황한 듯 이곳저곳 땅을 계속 파헤치는 두 사람.

/ 주목

계속해서 오니에게 말을 하는 화림.
그리고 곳곳에 보이는 오니의 모습들.

화림 (일본어)
ここの主であるわしがもう一度聞く。
お前はいつからここに来ていたのか。
이곳의 주인인 내가 다시 묻겠다. 너는 언제부터 여기에 있었는가.

오니 (고대 일본어)
忘れもしない… いかづちの最中の大正14年10月15日…
だがわしのための祭祀ではなかった。畜生め…
기억하라… 천둥이 울리던 다이쇼 14년 10월 15일…
하지만 날 위한 제사는 없었지. 빌어먹을…

/ 봉길의 병실
이를 악물고 말하는 봉길.

봉길 (고대 일본어)
畜生め、あのきつねめ…
빌어먹을 여우 새끼…

봉길을 계속 바라보고 있는 오광심과 박자혜.

/ 주목
사방에서 모습을 보이는 오니.
당황한 듯 서두르는 화림.

화림 (일본어)

わしの言うことをよく聞け。お前はいったい何もの?

내 말을 들어라. 너는 무엇인가...

오니 (고대 일본어)

...わしに礼儀を正すがよい! われこそは恐れそのもの。

...나에게 예의를 갖추어라! 나는 두려움이다.

화림 (일본어)

ここはわしの地だ。もう一度聞く。お前はいったい何もの?

여기는 내 땅이다. 다시 묻는다. 너는 도대체 무엇인가...

오니 (고대 일본어)

関ヶ原にて... 敵に首を討ち取られはしたが...

肉体を凌駕し、戦の神となったのだ!

세키가하라에서... 적들이 내 목을 베었지만...

난 이미 육신을 이겨냈다. 난 전장의 신이란 말이다.

화림

...

오니 (고대 일본어)

三八三四一七 一二八三一八九... 狐が呪いを掛けおった。

我はここを守らねばならぬ。

삼팔삼사일칠 일이팔삼일팔구... 여우가 나에게 주문을 걸었다.

나는 여기를 지켜야 한단 말이다.

/ 봉길의 병실

봉길 (고대 일본어)

永久に朽ち果てぬ あなた様は燃え上がる剣でござりまする…

フフフ…

영원히 썩지 않는 당신은 불타는 칼이지요... 흐흐흐...

/ 묫자리

계속 땅을 파는 김상덕과 고영근.

하지만 아무것도 나오지 않는다.

고영근

없어. 없어... 없다고!

김상덕

아니야... 허.... 아니야. 분명... 더 깊이...

곡괭이의 쇠머리가 툭 부러지고, 곡괭이를 던져버리는 김상덕.

미친 듯이 맨손으로 땅을 헤집는다.

/ 주목

여기저기에서 들려오는 기이한 웃음소리.

화림은 뭔가를 포기한 듯 허공에 애원하듯 소리친다.

화림 (일본어)

今、誰かを支配しているんですか？

지금 누군가를 지배하고 있습니까?

고요해지는 주변.

화림 (일본어)

あなたが生け捕りにしている人間を放してください!

당신이 잡고 있는 인간을 해방해주십시오!

오니

...

화림 (일본어)

...はやく! お願いします!

...어서! 부탁합니다!

조용해진 숲속. 정적이 흐른다.

화림은 나무 너머를 살짝 훔쳐보는데,

그때 이미 몸을 기울여 화림을 보고 있는 오니.

/ 봉길의 병실

봉길 (고대 일본어)

人間じゃ。

하. 인간이다.

놀라는 박자혜. 그리고 침착하게 그를 노려보는 오광심.

경문을 중얼거리며 외우기 시작한다.

/ 주목

넘어져 뒤로 기어가는 화림.

천천히 화림에게 다가가는 오니.

화림, 겁먹은 채 뒤로 주춤주춤 물러나는데,

그때, 돌연 오니가 걸음을 멈춘다.

화림 뒤에 보이는 허연 무엇. 작고 하얀 버선.

오니

크허...!

희끗 보이는 하얀 한복의 할머니. 서늘하게 오니를 노려본다.

/ 봉길의 병실

겁먹은 얼굴로 눈을 부릅뜨는 봉길.

봉길 (고대 일본어)

くそばばあ...

망할 할망구...

오광심을 따라 같이 경문을 외우는 박자혜.

/ 주목

화림을 사이에 두고 잠시 서로를 바라보는 두 존재.

화림의 뒤에서 오니를 노려보는 서늘한 눈빛의 할머니.

그 틈에 뒤쪽 숲으로 달리기 시작하는 화림.
가만히 멈춰 서 있던 오니.
순간 소리를 지르며 사납게 포효한다.

107. 주목 뒷길. 밤

숲 전체에 진동하는 짐승의 울부짖음.
좁은 숲길을 미친 듯이 뛰는 화림. 돌아보니 아직 보이지 않는 오니.
그때 옆쪽에서 뛰어오는 고영근.

화림
찾았어요!?

고영근
없어...! 아무것도 없다고!

화림
그게 무슨 말이야!

순간 화림의 뒤편을 바라보는 고영근.
그때 쿠오오~ 날아오는 불덩이.
놀라 몸을 숙이는 두 사람.
그들의 머리 위로 그냥 지나가버리는 불덩이.

108. 산 정상_ 못자리 / 주목 뒷길 / 봉길의 병실. 밤

여전히 구덩이 안에서 땅을 헤집고 있는 김상덕.

김상덕

아니야... 있어... 분명히 있어야 돼.

순간 무언가 뇌리를 스친 듯, 땅파기를 멈추는 김상덕.

flash back 못자리

무덤 속. 수직으로 박혀 있는 관.

flash back 봉길의 병실

탁! 지도 한가운데 수직으로 꽂히는 칼.

flash back 못자리

무덤 속에 들어가 김상덕을 노려보는 오니.

cut to

뭔가를 깨달은 김상덕.

김상덕

아...!

그때 김상덕의 위로 나타나는 불덩이.

구덩이 안에 있던 김상덕. 위를 올려다보니,

불덩이

쿠오오...

불덩이로 밝아지는 김상덕의 얼굴.

/ 봉길의 병실

눈을 부릅뜨고 소리치는 봉길.

봉길 (고대 일본어)

欺いたのです。我が殿よ... どうかお帰りになられませ。

三八三四一七 一二八三一八九... 三八三四一七 一二八三一八九...

그들이 속였습니다. 나의 다이묘여... 돌아가소서!

삼팔삼사일칠 일이팔삼일팔구... 삼팔삼사일칠 일이팔삼일팔구...

오광심 / 박자혜

...밝고 밝으며 지극히 양강한 기운으로 꾸짖노니,

해는 동방에서 떠오르고

내 이 부적으로 명하노니 두루 상서롭지 못한 기운을 제거하고

해는 삼매의 불을 토해내니 문읍의 빛을 굴복시켜...

/ 주목 뒷길

못자리 쪽으로 뛰는 화림과 고영근.

멀리 못자리에 떠 있는 불덩이가 보인다.

고영근

김상덕...!

109. 산정상_ 못자리 / 봉길의 병실. 밤

쿠우우~ 소리를 내며 못자리 위를 맴도는 불덩이.

다시 홀린 채, 멍하니 불덩이를 바라보는 김상덕.

김상덕

...허...

기이한 소리를 내며 못자리 위에 머무는 불덩이.

불덩이 안을 바라보는 김상덕.

(김상덕)

...불이다. ...쇠가 불이 되었다.

멀리서 뛰어오는 화림과 고영근.

못자리 위에 머물던 불덩이가 훅~ 구덩이 안으로 들어가 사라진다.

고영근

김상덕 안 돼!!

cut to

불길이 사라져 고요한 구덩이 안.

멍한 김상덕의 표정.

그의 눈에는 동굴 안이 까마득히 깊어 보인다.

어두운 곳에 멀뚱히 서 있는 김상덕.

그의 뒤로 지나가는 오니의 얼굴. 작게 속삭인다.

오니 (고대 일본어)

しもべになるか... さもなくばおぬしの肝を取りいだすか...

나의 부하가 될 것인가... 너의 간을 내놓을 것인가...

홀린 듯 멍한 표정의 김상덕.

다시 그의 눈앞에 지나가며 속삭이는 오니.

글씨 가득한 김상덕의 얼굴을 손톱으로 만진다.

오니 (고대 일본어)

刻まれし金剛の経を覚え終りて五百年が過ぎておる。

너의 몸에 적힌 금강을 다 외운 지 500년이 넘었다.

천천히 김상덕의 배로 내려가는 오니의 손.

그리고 오니를 바라보는 김상덕.

(김상덕)

그래 철이다... 네가 바로 쇠다.

작게 웃으며 김상덕을 바라보는 오니.

그때 푹! 오니는 김상덕의 배에 손을 찔러 넣는다.

김상덕

쿠억...

꿈틀거리는 김상덕.

/ 봉길의 병실

환희에 찬 표정으로 소리치는 봉길.

봉길 (고대 일본어)

肝をおめしあがりてください。事新しき肝を…

간을 먹으십시오. 그 신선한 간을…

봉길의 양쪽에서 계속 경문을 읊조리는 오광심과 박자혜.

박자혜는 겁먹은 표정으로 오광심을 바라본다.

/ 못자리

김상덕의 몸으로 점점 들어가는 오니의 손.

부들부들 경련을 일으키는 김상덕.

그때 쏵~ 오니에게 쏟아지는 붉은 말 피.

순간 빠르게 동물처럼 뒤로 기어가는 오니.

푹~ 바닥에 쓰러지는 김상덕.

/ 봉길의 병실

고개를 흔들며 괴로워하는 봉길.

봉길 (고대 일본어)

白馬の血… フフフッ… 熱し。

백마의 피… 흐흐흑… 뜨겁다.

/ 못자리

바닥에 쓰러져 있는 김상덕.

그의 눈앞에 보이는 광경.
연기가 남아 있는 검붉은 몸으로 미친 듯이 땅을 파는 오니의 모습.

/ 봉길의 병실
발광하듯 중얼거리는 봉길.

봉길 (고대 일본어)
お入りになられませ、バレちゃ二度となりませぬ。
들어가소서... 다시는 들키시면 안 됩니다.

/ 묫자리
동물처럼 땅을 파는 오니의 모습을 바라보는 김상덕.

(화림)
정령이에요... 사물이 짐승이나 혼이랑 같이 진화한 거...

그때 고개를 돌려 김상덕을 바라보는 오니.
그리고 구덩이로 내려오는 고영근과 화림.
김상덕에게 소리치며 그를 부축한다.
순간 두 사람의 몸이 공중에 떠오르고,
김상덕의 눈에는 그들의 다리만 보인다.
고영근과 화림의 목을 잡아 들어 올린 오니.
오니의 얼굴을 바라보는 고영근. 오묘한 오니의 눈동자.

고영근
허...

고영근의 눈앞에 빠르게 펼쳐지는 오니의 환상들.
그리고 옆의 화림도 오니의 눈동자를 바라보고,

화림
허...

그녀의 눈앞에서 오니와 음양사의 환상이 펼쳐진다.
축 늘어지는 고영근과 화림의 다리.
쓰러진 채 눈을 껌벅이는 김상덕.
그의 눈앞. 흩날리는 흙.
그 너머 보국사의 부러진 곡괭이 자루.

(김상덕)
흙이다... 그리고 나무다. ...토의 기운 위에 화 수 목 금은 사계를 이룬다.

오니의 얼굴을 보며 정신이 풀려버린 고영근과 화림.
김상덕은 보국사의 곡괭이 자루를 집어 든다.
바로 앞에 보이는 오니의 다리.

(김상덕)
불과 물은 상극이고 금과 목도 상극이다. 저건... 불타는 쇠다.

김상덕은 말 피 묻은 곡괭이 자루로 오니의 발을 찍어버린다.

/ 봉길의 병실
순간 발이 꺾이는 봉길.

봉길

으악....!

고통스러워하는 봉길.

오광심은 닭의 목을 집어 든다.

겁먹은 표정으로 오광심을 바라보는 박자혜.

/ 못자리

그대로 바닥에 떨어지는 화림과 고영근.

그리고 무릎을 꿇는 오니.

비틀거리며 오니의 앞에 서는 김상덕.

그리고 그의 손에 들려 있는 보국사의 곡괭이 자루.

(김상덕)

불타는 쇠... 그것의 상극은 물에 젖은 나무다.

무릎을 꿇은 오니. 바로 앞에 김상덕의 목을 잡아챈다.

하지만 버티며 서 있는 김상덕.

(김상덕)

물은 불을 이기고...

쩍! 피 묻은 나무 손잡이로 오니의 어깨를 내리치는 김상덕.

/ 봉길의 병실

피를 뱉어내는 봉길.

봉길

쿠억!

봉길을 바라보며 닭의 목에 칼을 가져가는 오광심.

/ 못자리

곡괭이 자루가 오니의 어깨에 깊게 들어간다.

'크악~' 기이한 소리를 내며 놀라는 오니.

그리고 오니의 얼굴을 바라보는 김상덕.

(김상덕)

...젖은 나무는 쇠보다 질기다.

붉게 피로 물든 곡괭이를 다시 잡고, 같은 곳을 내리치는 김상덕.

쩍! 쩍! 쩍!

오니의 어깨를 깊게 파고 들어가는 곡괭이.

멍하니 그 모습을 바라보는 고영근과 화림.

/ 봉길의 병실

계속 피를 뱉어내는 봉길.

닭의 목에 칼을 대고 봉길을 살피는 오광심.

그리고 건너편에 긴장한 박자혜.

/ 못자리

쿠억~ 피를 토하는 김상덕.

그 피를 다시 곡괭이 자루에 바른다.

(김상덕)

자... 마지막...

마지막으로 있는 힘을 다해 오니를 내리치는 김상덕.

쩌억! 반이 잘려 무너지는 붉은 도깨비.

그리고 바로 바닥에 쓰러지는 김상덕.

우억~ 피를 토하며 하늘을 본다.

놀란 표정의 화림과 고영근.

/ 봉길의 병실

오광심이 닭의 목을 치려는 순간,

손을 들어 말리는 박자혜.

박자혜

언니 잠깐만요! ...피가 검어요!

'쿠억~' 검은 피를 뱉어내는 봉길.

놀라는 오광심. 칼을 내려놓는다.

잠시 후, 봉길은 멀쩡한 눈으로 오광심을 바라본다.

'하~' 입에서 허연 김을 뱉으며 다시 잠드는 봉길.

다시 바닥으로 내려지는 닭.

안심한 듯 박자혜를 바라보는 오광심.

/ 못자리

Insert 구름 사이로 커다란 달이 드러난다.

두 동강이 난 오니. 연기가 올라온다.
멍한 눈으로 하늘을 바라보는 피투성이 김상덕.

(김상덕)
하... 하... 죽는다... 다행히 그렇게 아프지는 않다.

점점 시야가 흐릿해지는 김상덕. 의외로 편안한 표정이다.
그 위로 보이는 화림과 고영근의 얼굴.
김상덕에게 뭐라 소리치지만 들리진 않는다.

(김상덕)
항상 죽음과 가까이 살았다. 그래... 이번엔 그냥 내 차례인 것이다.
너무 섭섭하게 생각하지 말자고...

울먹이는 목소리로 소리치며 김상덕을 지혈하는 고영근.

(김상덕)
죽음은 그냥... 다시 흙으로 돌아가는 것이다. 편안하게...

110. 차 안. 밤

피 묻은 손으로 다급하게 운전하는 고영근.
울면서 김상덕에게 계속 소리친다.
그리고 김상덕을 흔들어 깨우는 화림.
멍한 김상덕의 눈. 쇼크로 부들부들 떨리는 몸.

(김상덕)

아 딸내미 결혼식. 그렇구나. 죽는 건 슬픈 게 아닌데...
사랑하는 사람들을 더 못 본다는 게 슬픈 거구나.

피눈물이 흐르는 김상덕의 눈.

111. 고성 군립병원_ 응급실. 밤

덜컹! 크게 반동하는 김상덕.
심장충격기로 응급처치를 하는 의사. 덜컹!

(김상덕)

내 나이 예순... 여기서 이렇게 죽으면 뭐라고들 할까?
도깨비 잡다가 죽었다고? 곰한테 당했다고?
뭐 죽으면 내 알 바는 아니지만 사람들이 뭐라고 생각할까?
가족들은? 아... 맞다. 딸내미 결혼식... 손주...

마지막으로 심장충격기를 김상덕의 가슴에 대고 작동시키는 의사.
덜컹! 크게 들어 올려지는 김상덕의 몸.
그리고 천천히 눈을 감는 김상덕.

(김상덕)

그래 아니야... 김상덕이... 아직 좀 일러... 기억이 희미해진다...

112. 고성 군립병원_ 복도. 새벽

수술실 앞 복도. 안절부절못하며 기도하는 고영근.

그리고 멍하니 의자에 앉아 있는 화림. 자신의 손을 바라본다.

피가 흥건히 묻은 손. 아직도 덜덜 떨린다.

〈F.O〉

(화림)

며칠 동안 몇 명이 죽고 몇 명이 크게 다쳤다.

정말 많은 일들이 있었지만... 그냥...

잠깐 기분 나쁜 꿈을 꿨던 것 같다.

113. 엔딩 몽타주

/ 김상덕의 병실

아산병원 1인실의 TV. 야생곰 관련 뉴스가 나온다.

(화림)

며칠의 수색 끝에 군인들은 기어코 야생곰 한 마리를 생포하는 데

성공했고... 그 아무 죄 없는 곰을 죽이자 살리자

여론이 들끓고 있다.

병상 옆에서 TV를 보고 있는 화림. 김상덕을 바라본다.

천천히 눈을 뜨는 김상덕.

고영근

어... 눈 떴다. 여... 정신 좀 들어?

과일을 먹으며 침대 쪽으로 다가오는 고영근.

다시 천천히 눈을 감는 김상덕.

(화림)

다행히 김 선생님은 나이에 비해 빨리 회복되었다.

그리고 봉길이는... 뭐...

/ 병원 복도

병실에서 나와 목발로 복도를 걸어가는 봉길의 뒷모습.

바로 옆 병실 문을 여니, 김상덕의 병실에서 피자를 먹고 있는 화림과 고영근.

웃으며 병실로 들어오는 봉길.

/ 김상덕의 병실

다시 천천히 눈을 뜨는 김상덕.

바로 옆에서 병원 밥을 먹고 있는 고영근과 봉길이 보인다.

김상덕

아... 여기... 무슨 맛집이냐... 맨날 여기서 처먹어...

김상덕을 바라보는 고영근과 환자복의 봉길.

김상덕은 짜증이 난 듯 반대로 고개를 돌리니,

빵과 우유를 먹으며 서 있는 화림.

깊은 한숨을 내쉬는 김상덕.

cut to

어이없는 표정의 화림과 고영근.

김상덕

내가 그랬다고? 내가... 그걸 곡괭이로 반을 잘랐다고? 말이 돼?

고영근

아 환장하겄네... 정말 기억 하나도 안 나는 거여?

김상덕

그때 불덩이까진 본 거 같은데... 하... 모르겠네...

(화림)

김 선생님은...
쇼크로 그날 있었던 일이 거의 기억나지 않는다고 그런다.

cut to

지도를 펴놓고 고영근과 화림에게 뭔가를 계속 지시하는 김상덕.
고집스러운 김상덕을 바라보는 화림.

/ 묫자리

어수선한 묫자리.
주변을 같이 둘러보는 오광심과 박자혜.
구덩이 안에서 땅을 파고 있는 창민.

고영근은 금속탐지기를 들고 무덤 주변을 계속 돌아다닌다.

고영근

야! 그만 파. 없으... 이러다 용암 나오겄어...!

(화림)

김 선생님의 고집으로
우리는 며칠 동안 계속해서 쇠침을 찾아보았지만...
결국... 아무것도 찾지는 못했다.

멀리 보이는 북녘땅을 지긋이 바라보는 화림.

(화림)

겨울이 지나고 모두 일상으로 돌아갔다.

/ 어느 굿당

한적한 굿당. 열심히 굿을 하고 있는 화림과 봉길의 모습.
순간 화림은 눈앞에 오니의 형체가 떠오른다.
굿을 멈추는 화림. 그리고 그녀를 바라보는 봉길.
잠시 후, 화림은 다시 굿을 시작한다.

/ 어느 장례식장

찬송가가 들려온다. 기독교식 장례식을 진행하는 고영근의 모습.
고영근은 찬송가를 부르며 삼베로 가려진 시신의 얼굴을 바라본다.
순간 눈이 떠지는 시신.
놀라 찬송을 멈추는 고영근.

잠시 후, 마음을 다잡고 다시 찬송을 이어가는 고영근.

/ 빌딩 공사장

분주한 공사현장. 건물 도면을 펴놓고, 업자들과 실랑이 중인 김상덕.

그때 배에 난 상처에서 다시 피가 배어 나온다.

고통이 아직 남아 있는 듯 상처를 손으로 가리는 김상덕.

/ 결혼식장

김상덕 부부에게 절을 하는 김상덕의 딸과 외국인 남편.

눈물을 글썽이는 김상덕.

사회자

다음은 가족분들 기념촬영 하겠습니다... 양측 가족들은 단상 위로...

신랑 신부의 양옆으로 모여드는 가족 친지들.

식장 구석에서 그 모습을 지켜보는 화림과 봉길 그리고 고영근.

김상덕은 세 사람을 보며 나오라고 손짓한다.

고영근과 화림이 손사래 치지만,

엄한 얼굴로 계속 세 사람을 부르는 김상덕.

뻘쭘하게 가족들 뒤편으로 자리를 잡는 세 사람.

(화림)

그 며칠 동안 다 같이 죽도록 뭔가를 한 것 같다...

화림은 신나 있는 김상덕의 뒷모습을 바라본다.

(화림)

근데 웃긴 건... 아직까지 우리가 뭘 한 건지 잘 모르겠다.

찰칵 카메라 소리에, 화면 가득 보이는 네 사람 각각의 얼굴.

〈끝〉

오컬트 3부작 : 장재현 각본집
— 파묘

1판 1쇄 인쇄 2024년 4월 25일
1판 1쇄 발행 2024년 5월 16일

지은이 장재현
펴낸이 정유선

편집 손미선
디자인 퍼머넌트 잉크
제작 제이오

펴낸곳 유선사
등록 제2022-000031호
ISBN 979-11-986568-3-4 (04680)
979-11-986568-4-1 (세트)

문의 yuseonsa_01@naver.com
instagram.com/yuseon_sa